D0591141

FRENCH THOUGHT AND STYLE

Exercises for Sixth Forms

FRENCH THOUGHT AND STYLE

Exercises for Sixth Forms

Edited by

MARJORIE M. JENKINS

M.A. (Oxon)

UNIVERSITY OF LONDON PRESS Ltd
WARWICK SQUARE, LONDON, E.C.4

Printed & Bound in England for the UNIVERSITY OF LONDON PRESS LTD.,
by HAZELL, WATSON & VINEY, LTD., Aylesbury and London

PREFACE

THIS anthology was compiled chiefly for pleasure. It is a personal choice of passages which have made their appeal through their artistic beauty or intellectual interest. They are expressive of some of the greatest writers of France. Several deal with problems which are the same as those presented to us in English literature and in art and life in general. Thus Baudelaire's criticism of landscape art is as stimulating now as it was in his day, and as relevant to the recent exhibition at Burlington House as to the Salon of 1859. It is therefore felt that the anthology may be enjoyed not only by Sixth form pupils specializing in French, but also by those specializing in other subjects or reading a general course.

The questions are meant to serve as a guide in the difficult but rewarding task of literary criticism, and have been written mainly for candidates preparing for advanced scholarship papers or University entrance. They may be set as written exercises for those who have to do much of their work on their own, or discussed in class point by point. The answers to the first two sections have been given in full as an example of the type of work to be done. Biographical details may be given by the teacher, and emphasis laid on reading aloud and learning by heart. The date of each extract has been given so that the student may relate it to his background of literary history, and, in the comparison of two passages dealing with the same subject, may discover for himself how means of expression and ways of thinking have changed during the ages.

Notes on translation have been added, for though not

essential, translation is often desirable as a means to precision and clarity of thought.

My thanks are due to my Sixth form pupils for their helpful co-operation.

M. M. JENKINS.

MAY, 1951.

CONTENTS

7

CONTENTS

II—REFLECTIVE

III—STUDIES OF CHARACTER

CONTENTS

9

I
DESCRIPTIVE

I

1. GUY DE MAUPASSANT
L'Auberge

11. ANTOINE DE SAINT-EXUPÉRY
Vol de Nuit

I

Le jour baissait; les neiges devenaient roses; un vent sec et gelé courait par souffles brusques sur leur surface de cristal. Ulrich poussa un cri d'appel aigu, vibrant, prolongé. La voix s'envola dans le silence de mort où dormaient les montagnes; elle courait au loin, sur les vagues immobiles et profondes d'écume glaciale, comme un cri d'oiseau sur les vagues de la mer; puis elle s'éteignit et rien ne lui répondit.

Il se remit à marcher. Le soleil s'était enfoncé, là-bas, derrière les cimes que les reflets du ciel empourpraient encore; mais les profondeurs de la vallée devenaient grises. Et le jeune homme eut peur tout à coup. Il lui sembla que la solitude, la mort hivernale de ces monts entraient en lui, allaient arrêter et geler son sang, raidir ses membres, faire de lui un être immobile et glacé. Et il se mit à courir, s'enfuyant vers sa demeure. Le vieux, pensait-il, était rentré pendant son absence. Il avait pris un autre chemin; il serait assis devant le feu, avec un chamois mort à ses pieds.

Bientôt, il aperçut l'auberge. Aucune fumée n'en sortait. Ulrich courut plus vite, ouvrit la porte. Sam[1] s'élança pour le fêter, mais Gaspard Hari n'était point revenu.

Effaré, Kunsi[2] tournait sur lui-même, comme s'il se fût attendu à découvrir son compagnon caché dans un coin. Puis il ralluma le feu et fit la soupe, espérant toujours voir revenir le vieillard.

[1] Ulrich's dog. [2] i.e. Ulrich.

12

De temps en temps, il sortait pour regarder s'il n'apparaissait pas. La nuit était tombée, la nuit blafarde des montagnes, la nuit pâle, la nuit livide qu'éclairait, au bord de l'horizon, un croissant jaune et fin prêt à tomber derrière les sommets.

Puis, le jeune homme rentrait, s'asseyait, se chauffait les pieds et les mains en rêvant aux accidents possibles.

Gaspard avait pu se casser une jambe, tomber dans un trou, faire un faux pas qui lui avait tordu la cheville. Et il restait étendu dans la neige, saisi, raidi par le froid, l'âme en détresse, perdu, criant peut-être au secours, appelant de toute la force de sa gorge dans le silence de la nuit.

GUY DE MAUPASSANT: *L'Auberge*, 1886

II

Ce fut aux environs du Pic Tupungato...

Il réfléchit. Oui, c'est bien là qu'il fut le témoin d'un miracle.

Car il n'avait d'abord rien vu, mais s'était simplement senti gêné, semblable à quelqu'un qui se croyait seul, qui n'est plus seul, que l'on regarde. Il s'était senti, trop tard et sans bien comprendre comment, entouré par de la colère. Voilà. D'où venait cette colère?

A quoi devinait-il qu'elle suintait des pierres, qu'elle suintait de la neige? Car rien ne semblait venir à lui, aucune tempête sombre n'était en marche. Mais un monde à peine différent, sur place, sortait de l'autre. Pellerin regardait, avec un serrement de cœur inexplicable, ces pics innocents, ces arêtes, ces crêtes de neige, à peine plus gris, et qui pourtant commençaient à vivre — comme un peuple.

Sans avoir à lutter, il serrait les mains sur les commandes. Quelque chose se préparait qu'il ne comprenait pas. Il bandait ses muscles, tel une bête qui va sauter, mais il ne voyait rien qui ne fût calme. Oui, calme, mais chargé d'un étrange pouvoir.

13

Puis tout s'était aiguisé. Ces arêtes, ces pics, tout devenait aigu: on les sentait pénétrer, comme des étraves,[1] le vent dur. Et puis il lui sembla qu'elles viraient et dérivaient autour de lui, à la façon de navires géants qui s'installent pour le combat.

Et puis il y eut, mêlée à l'air, une poussière: elle montait, flottant doucement, comme un voile, le long des neiges. Alors, pour chercher une issue en cas de retraite nécessaire, il se retourna et trembla: toute la Cordillère,[2] en arrière, semblait fermenter.

— Je suis perdu.

D'un pic à l'avant, jaillit la neige: un volcan de neige. Puis d'un second pic, un peu à droite. Et tous les pics, ainsi, l'un après l'autre s'enflammèrent, comme successivement touchés par quelque invisible coureur. C'est alors qu'avec les premiers remous de l'air les montagnes autour du pilote oscillèrent.

L'action violente laisse peu de traces: il ne retrouvait plus en lui le souvenir des grands remous qui l'avaient roulé. Il se rappelait seulement s'être débattu,[3] avec rage, dans ces flammes grises.

Antoine de Saint-Exupéry: Vol de Nuit, 1931
(Librairie N.R.F. Gallimard.)

1. Consider Maupassant's use of nature as a setting for the story. How does he suggest the beauty and cruelty of nature?

2. How does the conflict with nature differ in the second extract? Is any difference made by the fact that (a) one character is involved, not two? (b) the hero is in an aeroplane?

3. What makes Maupassant's style so vivid? How does he work up to a climax and how does he convey contrast? Discuss both the construction of sentences and the use of vowel sounds and

[1] une étrave: stem of a ship.   [2] The Andes.   [3] meaning of 'se débattre'?

consonants. Explain the use of the imperfect tense in the last sentence.

4. Suggest reasons why Saint-Exupéry's style is markedly different from Maupassant's. Is it simpler or more complicated? Which of the two authors is the more consciously artistic?

SUGGESTED ANSWERS

1. Maupassant's description of nature is part of his subject, the search for a man lost in the mountains. Night is falling; the peaks are rose-coloured and the valleys grey; the loneliness and the vastness of the scene harmonize with the feelings of the hero. Fear grows upon him: 'Ulrich poussa un cri d'appel, aigu, vibrant, prolongé.' Beauty is suggested by the calm tones of the first two phrases, only to give way to an impression of cruelty conveyed in the sudden shock of the word 'sec' and the harshness of Ulrich's cry ringing out in the freezing air.

2. The conflict with nature described by Saint-Exupéry is less straightforward. He describes not the Alps, but a more remote part of the world, and he gives us, not a description of the mountains themselves, but of the sensations aroused in the mind of a pilot. Pellerin can see nothing unusual and cannot understand the feeling of hostility and anger that surrounds him. Nature is not impassive, but a living force, and because he is in an aeroplane, he is entirely at its mercy. He is wrestling, alone and helpless, with forces unknown and incomprehensible.

3. Maupassant's style is vivid. The rhythm of the sentences and the sound of the words he uses are varied and forceful. The even rhythm of 'les profondeurs de la vallée devenaient grises' throws into sharp contrast the jerky monosyllables of the next sentence: 'Et le jeune homme *eut peur tout à coup*'. Ulrich's cry is urgent; adjectives are used without any connecting 'et'. One verb is rapidly followed by another: 'la mort hivernale de ces monts entraient en lui, allaient arrêter et geler son sang, raidir

ses membres, faire de lui un être immobile'; a participle is followed by another participle: 'saisi, raidi'; a noun is repeated: 'la nuit était tombée, la nuit blafarde... la nuit pâle, la nuit livide...' Harsh vowel sounds and consonants express the anxiety and fear in Ulrich's mind: '*p*erdu, *cri*ant *peu*t-ê*tr*e au se*c*ours, appelant de *t*ou*t*e la for*c*e de *s*a gorge.' They contrast with the end of the sentence 'dans le silence de la nuit', in which rhythm and sounds together convey an impression of the immensity of nature. In the last sentence the scene is all the more tense because of the use of the imperfect 'restait'. Ulrich thinks not of what might have happened, but of what, in his mind, has happened with ever-growing certainty.

4. Saint-Exupéry also describes a terrifying experience. Pellerin is trying to understand what has happened. The style is conversational. 'Oui, c'est bien là...' 'Voilà. D'où venait cette colère?' He is thinking aloud. 'Je suis perdu.' Thus we enter into his thoughts and share his anxiety. A great many similes are used: 'et qui pourtant commençaient à vivre comme un peuple,' 'tel une bête qui va sauter,' 'comme des étraves,' 'à la façon de navires géants,' 'comme un voile.' The author tries to explain an unfamiliar experience by linking it with an experience more common to us, for it is his subject matter which is complicated, not his style. Thus his style seems less consciously artistic than Maupassant's. Both authors, however, write vividly, and both succeed in arousing our emotions.

II

I. MARCEL PROUST
Du Côté de chez Swann

II. EDMOND ROSTAND
Les Nénuphars

I

Mais plus loin le courant se ralentit, il traverse une propriété
dont l'accès était ouvert au public par celui à qui elle appartenait et qui s'y était complu à des travaux d'horticulture
aquatique, faisant fleurir, dans les petits étangs que forme la
Vivonne, de véritables jardins de nymphéas. Comme les rives
étaient à cet endroit très boisées, les grandes ombres des arbres
donnaient à l'eau un fond qui était habituellement d'un vert
sombre mais que parfois, quand nous rentrions par certains
soirs rassérénés d'après-midi orageux, j'ai vu d'un bleu clair et
cru, tirant sur le violet, d'apparence cloisonnée[1] et de goût
japonais. Çà et là, à la surface, rougissait comme une fraise une
fleur de nymphéa au cœur écarlate, blanc sur les bords. Plus
loin, les fleurs plus nombreuses étaient plus pâles, moins lisses,
plus grenues,[2] plus plissées, et disposées par le hasard en
enroulements si gracieux qu'on croyait voir flotter à la dérive,
comme après l'effeuillement mélancolique d'une fête galante,[3]
des roses mousseuses en guirlandes dénouées. Ailleurs un coin
semblait réservé aux espèces communes qui montraient le blanc
et rose proprets de la julienne,[4] lavés comme de la porcelaine
avec un soin domestique; tandis qu'un peu plus loin, pressées
les unes contre les autres en une véritable plate-bande flottante,
on eût dit des pensées des jardins qui étaient venues poser

[1] 'cloisonné,' i.e. enamel in which the colours of the pattern are kept apart
by thin metal plates. [2] 'more thickly seeded.' [3] 'the dreary stripping of the
decorations used in some Watteau festival' (translation by C. K. Scott-
Moncrieff). [4] 'rocket flower.'

comme des papillons leurs ailes bleuâtres et glacées, sur
l'obliquité[1] transparente de ce parterre d'eau; de ce parterre
céleste aussi: car il donnait aux fleurs un sol d'une couleur plus
précieuse, plus émouvante que la couleur des fleurs elles-
mêmes; et, soit que pendant l'après-midi il fît étinceler sous
les nymphéas le kaléidoscope d'un bonheur attentif,[2] silencieux
et mobile, ou qu'il s'emplît vers le soir, comme quelque port
lointain, du rose et de la rêverie du couchant, changeant sans
cesse pour rester toujours en accord, autour des corolles de
teintes plus fixes, avec ce qu'il y a de plus profond, de plus
fugitif, de plus mystérieux, — avec ce qu'il y a d'infini, —
dans l'heure, il semblait les avoir fait fleurir en plein ciel.

MARCEL PROUST: *Du Côté de chez Swann*, 1913
(Librairie N.R.F. Gallimard.)

II

L'étang dont le soleil chauffe la somnolence
Est fleuri, ce matin, de beaux nénuphars blancs;
Les uns, sortis de l'eau, se dressent tout tremblants,
Et dans l'air parfumé leur tige se balance.

D'autres n'ont encor pu fièrement émerger:
Mais leur fleur vient sourire à la surface lisse.
On les voit remuer doucement et nager:
L'eau frissonnante affleure aux bords de leur calice.

D'autres, plus loin encor du moment de surgir
Au soleil, ont leur fleur entière recouverte...
On peut les voir, bercés d'un remous sur l'eau verte:
Écrasés par son poids, ils semblent s'élargir.

Ainsi sont mes pensers dans leur floraison lente.
Il en est d'achevés, sans plus rien d'hésitant,

[1] 'shadowiness.'   [2] 'alert.'

Complètement éclos, comme, sur cet étang,
Les nénuphars bercés par la brise indolente.

D'autres n'ont encor pu dépasser le niveau;
Ce sont ceux-là surtout que, poète,[1] on caresse,
Qu'on laisse à fleur d'esprit[2] flotter avec paresse,
Comme les nénuphars qui bâillent à fleur d'eau.

Mais je sens la poussée en moi vivace et sourde
D'autres pensers germés mystérieusement,
Qui s'achèvent encor dans l'assoupissement,
Comme les nénuphars qui dorment sous l'eau lourde.

EDMOND ROSTAND: *Les Musardises*, 1890
(Eugène Fasquelle.)

1. Show how, in the passage by Proust, the thought and style
   are closely connected (*a*) by his use of sounds. Consider his
   use of consonants 'l' and 'r' and the slowing down of the
   rhythm at the beginning of the first sentence. Contrast the
   harsh sounds which follow and comment on the effect
   obtained. How is emphasis given to the phrase 'faisant fleurir'?
   Consider the use of vowel sounds to describe the green background; contrast the 'bleu clair et cru', but show how the
   effect is softened and the mind led on to other things; (*b*) by
   his use of similes. Give examples of similes which make the
   object clearer by suggesting a quality characteristic of the
   water-lilies and of the thing compared. What is suggested by
   'fraise', 'porcelaine'? By what simile is pattern suggested? Is
   there any point of comparison between a pansy, a butterfly
   and a water lily?

2. Show how by similes and by the smoothness of the rhythm
   the attention of the reader is transferred away from the lilies.
   To what is it transferred?

[1] 'as a poet.'   [2] 'on the surface of the mind.'

3. Discuss the use of the adjectives 'attentif' and 'mobile' and of the noun 'bonheur'. Is any mention made of the sound of water? To what senses does the author make his appeal? Do you think he was looking at the lilies when he was writing, or is he remembering something seen in the past?

4. Compare Rostand's approach to his subject. How does he convey the impression that the lilies are growing plants? How is the water described? Is his description more vivid than Proust's?

5. What is Proust's real subject? Rostand's?

6. Which of the two writers has best succeeded in giving an exact picture? in creating an atmosphere?

7. Do you consider prose the best medium for Proust, and poetry for Rostand?

Suggested Answers

1. In Proust's description of water lilies, the thought and style are so closely interwoven that it is impossible to discuss one without the other. The first sentence begins quietly: 'Mais plus loin le courant se ralentit', the repetition of 'l's and 'r's suggesting the gentle flow of the stream, followed by harsh 's's, 'p's and 'k's: 'accès ... public ... celui ... qui ... appartenait ... s'y ... complu ... horticulture aquatique' conveying a statement of fact, in a long subordinate clause. This throws into relief the two words 'faisant fleurir' — of the same length and both beginning with 'f' so that they seem to stand alone. The dark green background is suggested by nasal sounds, 'les grandes ombres,' 'fond,' 'vert sombre', so that the monosyllables 'bleu clair et cru' jar by contrast, to be followed, however, by phrases of a more even rhythm.

2. The mind is led on to other ideas by the comparison of the variegated background with Japanese cloisonné. The scarlet heart of a water lily is like a strawberry, another has the

smooth, clean texture of porcelain. Others make a pattern on the water like a garland of moss roses. These similes help us to see the lilies more clearly. The velvety bloom of a pansy and the frosted wing of a butterfly are similes of a different order and suggest the beauty and loveliness of other created things. The balanced rhythm of the sentence flows smoothly on, and thus our thoughts are turned away from the lilies to the water in which they grow and in which heaven itself is mirrored.

3. The phrase 'un bonheur attentif' is descriptive not of things but of feelings, while 'mobile' is a link between the flowing water and fleeting happiness. The sound of the water is not mentioned. Proust makes his appeal to other senses, sight and possibly touch, recalling in his mind's eye a garden such as Monet painted.

4. Rostand's poem is comparatively simple. The pond in the warm sunshine is covered with white lilies. Some of them lift up their swaying heads, others seem to smile on the surface of the quivering green water; others again lie submerged beneath its heavy weight. They are not inanimate, but growing plants. The description is clear and easy to follow.

5. Proust is describing an intricate pattern of water lilies against a background in which the sky is reflected, while Rostand's poem is a comparison between water lilies at different stages of growth and the development of his own thoughts.

6. Rostand gives an exact picture which we can visualize without effort. Proust, on the other hand, gradually builds up an atmosphere.

7. For Rostand's subject the verse form is admirably suited, with its definite, clear-cut rhyming scheme. Proust is more subtle. His imagination could not have been confined in lines of equal length. Thus each author has used the medium best fitted for the expression of his thought.

III

1. JEAN-JACQUES ROUSSEAU
Rêveries du Promeneur Solitaire

11. ALPHONSE DAUDET
Lettres de mon Moulin

I

Quand le soir approchait, je descendais des cimes de l'île, et j'allais volontiers m'asseoir au bord du lac, sur la grève, dans quelque asile caché; là, le bruit des vagues et l'agitation de l'eau, fixant[1] mes sens et chassant de mon âme toute autre agitation, la plongeaient dans une rêverie délicieuse, où la nuit me surprenait souvent sans que je m'en fusse aperçu. Le flux et le reflux de cette eau, son bruit continu, mais renflé par intervalles, frappant sans relâche mon oreille et mes yeux, suppléaient aux mouvements internes[2] que la rêverie éteignait en moi, et suffisaient pour me faire sentir avec plaisir mon existence, sans prendre la peine de penser. De temps à autre naissait quelque faible et courte réflexion sur l'instabilité des choses de ce monde, dont la surface des eaux m'offrait l'image; mais bientôt ces impressions légères s'effaçaient dans l'uniformité du mouvement continu qui me berçait, et qui, sans aucun concours[3] actif de mon âme, ne laissait pas de m'attacher[4] au point qu'appelé par l'heure et par le signal convenu[4] je ne pouvais m'arracher de là sans efforts.

JEAN-JACQUES ROUSSEAU: *Rêveries du Promeneur Solitaire,*
1776–8

II

Quand le mistral ou la tramontane[5] ne soufflaient pas trop fort, je venais me mettre entre deux roches au ras de l'eau, au

---

[1] 'taking possession of.' [2] 'inward activity.' [3] 'co-operation.' [4] Insert commas. [5] North wind, coming across the Alps.

milieu des goélands, des merles, des hirondelles, et j'y restais presque tout le jour dans cette espèce de stupeur et d'accablement délicieux que donne la contemplation de la mer. Vous connaissez, n'est-ce pas, cette jolie griserie de l'âme? On ne pense pas, on ne rêve pas non plus. Tout votre être vous échappe, s'envole, s'éparpille. On est la mouette qui plonge, la poussière d'écume qui flotte au soleil entre deux vagues, la fumée blanche de ce paquebot qui s'éloigne, ce petit corailleur à voile rouge, cette perle d'eau, ce flocon de brume, tout excepté soi-même... Oh! que j'en ai passé dans mon île de ces belles heures de demi-sommeil et d'éparpillement!...

Les jours de grand vent, le bord de l'eau n'étant pas tenable, je m'enfermais dans la cour du lazaret,[1] une petite cour mélancolique, tout embaumée de romarin et d'absinthe[2] sauvage, et là, blotti contre un pan de vieux mur, je me laissais envahir doucement par le vague parfum d'abandon et de tristesse qui flottait avec le soleil dans les logettes de pierre, ouvertes tout autour comme d'anciennes tombes. De temps en temps un battement de porte, un bond léger dans l'herbe... C'était une chèvre qui venait brouter à l'abri du vent. En me voyant, elle s'arrêtait interdite, et restait plantée devant moi, l'air vif, la corne haute, me regardant d'un œil enfantin...

ALPHONSE DAUDET: *Lettres de mon Moulin*, 1869

1. Both authors describe a state of mind aroused by similar circumstances. Describe these circumstances.

2. How does Daudet take his readers into his confidence? In which sentence does he assume that other people have the same experience?

   How does Rousseau give the impression that he is exploring his own soul? Does he ever mention anyone else?

[1] 'lazaretto' (quarantine house).　[2] 'wormwood.'

3. Make a list of adjectives used by Daudet. Do they give any insight into his character? Note especially the use of 'délicieux' with 'accablement,' 'jolie' with 'griserie'. In the description of the goat there are two adjectives usually used of people. What is Daudet's attitude towards animals?

4. Daudet identifies himself with six things outside himself. What are they?

5. Has Daudet an eye for colour and for detail? Give examples. Is Rousseau as precise or is he more vague?

6. Daudet, like Rousseau, refers to sound and sight. To what other sense does he refer?

7. What reflection is suggested to Rousseau by the movement of the water? Do you find any similar reflections in Daudet?

8. Does Rousseau find it easy to come back to ordinary life? Does nature have a calming effect upon him? What is the chief emotion felt by Daudet? What pleasure have they in common?

9. Daudet's style is lively, Rousseau's more rhythmical. Show how each author's style suits his subject matter.

IV

STENDHAL

La Chartreuse de Parme

La comtesse se mit à revoir, avec Fabrice, tous ces lieux enchanteurs voisins de Grianta, et si célébrés par les voyageurs: la villa Melzi de l'autre côté du lac, vis-à-vis le château, et qui lui sert de point de vue; au-dessus le bois sacré des *Sfondrata*, et le hardi promontoire qui sépare les deux branches du lac, celle de Côme, si voluptueuse, et celle qui court vers Lecco, pleine de sévérité: aspects sublimes et gracieux, que le site le plus renommé du monde, la baie de Naples, égale, mais ne surpasse point. C'était avec ravissement que la comtesse retrouvait les souvenirs de sa première jeunesse et les comparait à ses sensations actuelles. Le lac de Côme, se disait-elle, n'est point environné, comme le lac de Genève, de grandes pièces de terre bien closes et cultivées selon les meilleures méthodes, choses qui rappellent l'argent et la spéculation. Ici, de tous côtés je vois des collines d'inégales hauteurs couvertes de bouquets d'arbres plantés par le hasard, et que la main de l'homme n'a point encore gâtés et forcés *à rendre du revenu*. Au milieu de ces collines aux formes admirables et se précipitant vers le lac par des pentes si singulières, je puis garder toutes les illusions des descriptions du Tasse[1] et de l'Arioste.[1] Tout est noble et tendre, tout parle d'amour, rien ne rappelle les laideurs de la civilisation. Les villages situés à mi-côte sont cachés par de grands arbres, et au-dessus des sommets des arbres s'élève l'architecture charmante de leurs jolis clochers. Si quelque petit champ de cinquante pas de large vient interrompre de temps à autre les bouquets de châtaigniers et de cerisiers sauvages, l'œil satisfait y voit croître des plantes plus vigoureuses et plus heureuses là qu'ailleurs. Par delà ces

[1] Sixteenth-century Italian poets.

25

collines, dont le faîte offre des ermitages qu'on voudrait tous habiter, l'œil étonné aperçoit les pics des Alpes, toujours couverts de neige, et leur austérité sévère lui rappelle des malheurs de la vie ce qu'il en faut pour accroître[1] la volupté présente. L'imagination est touchée par le son lointain de la cloche de quelque petit village caché sous les arbres; ces sons portés sur les eaux qui les adoucissent prennent une teinte de douce mélancolie et de résignation, et semblent dire à l'homme: la vie s'enfuit, ne te montre donc point si difficile[2] envers le bonheur qui se présente, hâte-toi de jouir. Le langage de ces lieux ravissants, et qui n'ont point de pareils au monde, rendit à la comtesse son cœur de seize ans.

STENDHAL: *La Chartreuse de Parme*, 1839

1. What does the Countess enjoy in nature? What does she object to in 'civilization'? Does she think the countryside is spoilt by the presence of villages? By what are her eyes 'satisfied', and when is she 'astonished'? Is she likely to appreciate the beauty of the Alps? What do they teach her? Why does she describe the melancholy of the bells as 'douce'?

2. Is the Countess aware of commonly accepted standards and of opinions held by other travellers?

3. Is she absorbed in the sensation of the moment or does she reflect on previous happiness? What comparisons does she make?

4. Why does she refer to Tasso and Ariosto?

5. Do the following adjectives: 'enchanteur,' 'voluptueux,' 'sublime,' 'gracieux' suggest any personal feeling or original train of thought? Find four more adjectives of the same type.

6. What can you infer from this passage of the character of the Countess?

[1] 'so much of the sorrows of life as is necessary to enhance...'   [2] 'obdurate.'

V

i. PIERRE LOTI
Au Maroc

ii. JÉROME ET JEAN THARAUD
La Fête Arabe

I

En quelques heures, comme il arrive toujours ici, le ciel s'est
dégagé, et il n'y a plus rien dans l'air. A la place de tant de
nuées grises, qui passaient et repassaient, obscurcissant les
idées et les choses, reste un vide immense, profond, limpide,
qui est ce soir d'un bleu irisé,[1] d'un bleu tournant, à l'horizon,
au vert d'aigue-marine; il y a partout grand resplendissement,
grande fête et grande magie de lumière.

Aux heures merveilleuses de la fin du jour, je monte m'asseoir sur ma terrasse. La vieille ville fanatique et sombre se
baigne dans l'or de tout ce soleil; étalée à mes pieds sur une
série de vallons et de collines, elle a pris un aspect d'inaltérable
et radieuse paix, quelque chose de presque riant, de presque
doux; je ne la reconnais plus, tant elle est changée; il y a
comme[2] un rayonnement rose sur l'immobilité de ses ruines.
Et l'air est devenu tout à coup si tiède et si tranquille, donnant
des illusions d'éternel été!...

PIERRE LOTI: *Au Maroc*, 1890
(Calmann–Lévy, Éditeurs.)

II

Derrière moi, le soleil descendait sur l'horizon. De froides
blancheurs, des gris d'ardoise s'établissaient partout. L'astre[3]
mourait sans grandeur, sans éclat, sans réfléchir avec pompe,

---

[1] 'iridescent.'   [2] 'as it were.'   [3] Remember that 'astre' can refer to the sun
and the moon.

comme il fait dans nos pays d'Occident, ses rayons dans l'air brumeux. Déjà la nuit semblait s'être emparée de toutes choses, lorsque soudain, du côté de l'Orient, je vis jaillir les feux d'une extraordinaire aurore. Des lueurs roses, parties du couchant, gagnaient rapidement le ciel, laissant l'obscurité derrière elles, pour allumer devant moi un prodigieux incendie de flammes pourpres et orangées. Les maisons, les rochers et la colline sur laquelle étaient posés l'ancien village arabe et la ville du Khalife, ne formaient plus maintenant qu'un bloc d'un rose doré. La falaise où j'étais monté allongeait son ombre noire sur le faubourg italo-espagnol et le noyait dans les ténèbres. Des fumées qui sortaient des toits jetaient au-dessus un léger voile d'un gris bleuâtre et laiteux, qui semblait supporter la Ben Nezouh[1] moresque, violemment éclairée par le soleil couchant. Quelques rochers déchiquetés qui la dominaient de leurs masses étranges, bizarrement sculptées par la pluie, le vent et les sables, semblaient faire partie de la ville et l'agrandissaient sans mesure. Les formes capricieuses qu'avaient prises les maisons ruinées, ajoutaient à l'effet grandiose qu'elles produisaient dans le crépuscule. La réalité et le rêve, la destruction et la force créatrice, tout concourait à créer dans ce désert, à cette minute, pour le passant que j'étais, un spectacle de féerie.

JÉROME ET JEAN THARAUD: *La Fête Arabe*, 1912
(Librairie Plon.)

1. The first passage describes something the author has seen often; the second describes a particular experience. How do we know this?

2. What was the sky like earlier in the evening in the first passage? in the second?

[1] A village near Algiers = 'Fils des Délices.'

3. Both passages show a precise use of adjectives of colour. Give examples.

4. Show how the second passage is more detailed in its description of (1) the locality, (2) the transformation that took place.

5. How does Loti convey atmosphere? Consider his use of a series of adjectives, repetition of the same adjective, and adjectives in pairs. Find examples in the second passage of adjectives used in pairs. Show too how some adjectives arouse one's attention rather than soothe it.

6. Compare the last sentence in each extract. Which is the more penetrating? Explain 'la réalité et le rêve, la destruction et la force créatrice.' How does Loti convey his enjoyment of the scene?

VI

I. MADAME DE STAËL
Corinne

II. ALPHONSE DE LAMARTINE
Raphaël

I

Lord Nelvil craignait les souvenirs que lui retraçait la France:
il la traversa donc rapidement; car, Lucile ne témoignant, dans
ce voyage, ni désir ni volonté sur rien, c'était lui seul qui
décidait de tout. Ils arrivèrent au pied des montagnes qui
séparent le Dauphiné de la Savoie, et montèrent à pied ce
qu'on appelle *le pas des Échelles*: c'est une route pratiquée
dans le roc, et dont l'entrée ressemble à celle d'une profonde
caverne; elle est sombre dans toute sa longueur, même
pendant les plus beaux jours de l'été. On était alors au com-
mencement de décembre; il n'y avait point encore de neige;
mais l'automne, saison de décadence, touchait elle-même à
sa fin, et faisait place à l'hiver. Toute la route était couverte de
feuilles mortes que le vent y avait apportées, car il n'existait
point d'arbres dans ce chemin rocailleux; et, près des débris
de la nature flétrie, on ne voyait point les rameaux, espoir de
l'année suivante. La vue des montagnes plaisait à lord Nelvil;
il semble, dans les pays de plaines, que la terre n'ait d'autre
but que de porter[1] l'homme et de le nourrir; mais, dans les
contrées pittoresques, on croit reconnaître l'empreinte du
génie du Créateur et de sa toute-puissance. L'homme
cependant s'est familiarisé partout avec la nature, et les chemins
qu'il s'est frayés gravissent les monts et descendent dans les
abîmes. Il n'y a plus pour lui rien d'inaccessible que le grand
mystère de lui-même. MADAME DE STAËL: *Corinne*, 1807

[1] 'support.'

30

II

L'automne était doux mais précoce. C'était la saison où les feuilles, frappées le matin par la gelée et colorées un moment de teintes roses, pleuvent à grande pluie des[1] vignes, des cerisiers et des châtaigniers. Les brouillards s'étendaient jusqu'à midi comme de larges inondations nocturnes dans tous les lits des vallées; ils ne laissaient au-dessus d'eux que les cimes à demi noyées des plus hauts peupliers dans la plaine, les coteaux élevés comme des îles, et les dents[2] des montagnes comme des caps ou comme des écueils sur un océan. Les coups de vent tièdes du midi balayaient toute cette écume de la terre quand le soleil était monté dans le ciel. Ces vents engouffrés dans les gorges de ces montagnes et froissés par ces rochers, ces eaux et ces arbres, avaient des murmures sonores, tristes, mélodieux, puissants ou imperceptibles, qui semblaient parcourir en quelques minutes toute la gamme des joies, des forces ou des mélancolies de la nature. L'âme en était remuée jusqu'au fond. Puis ils s'évanouissaient comme les conversations d'esprits célestes qui ont passé et qui s'éloignent. Des silences comme l'oreille n'en perçoit jamais ailleurs leur succédaient, et assoupissaient[3] en vous jusqu'au bruit de la respiration. Le ciel reprenait sa sérénité presque italienne. Les Alpes se noyaient dans un firmament sans ombre et sans fond; les gouttes des brouillards du matin tombaient en retentissant sur les feuilles mortes ou brillaient en étincelles sur les prés. Ces heures étaient courtes. Les ombres bleues et fraîches du soir glissaient rapidement, dépliées en linceul sur ces horizons qui avaient à peine joui de leurs derniers soleils. La nature semblait mourir, mais comme meurent la jeunesse et la beauté, dans toute sa grâce et sa sérénité.

ALPHONSE DE LAMARTINE: *Raphaël,* 1849

[1] 'from.' [2] 'peaks.' [3] 'hushed.'

1. What is Madame de Staël's opinion of autumn?

2. Show how Lamartine appreciates details of colour and sound, how he attributes feeling to nature and how he is aware of beauty which can last but a short time.

3. Has Lord Nelvil any feeling for beauty? Why does he prefer the mountains to the plains? Do you think his love of mountains goes very deep?

4. From the style of each passage, show how one is written by a lyrical poet, the other by a critic and novelist.

VII

I. COLETTE
Sido

II. LOUIS HÉMON
Maria Chapdelaine

I

Il y avait dans ce temps-là de grands hivers, de brûlants
étés. J'ai connu, depuis, des étés dont la couleur, si je ferme les
yeux, est celle de la terre ocreuse, fendillée entre les tiges du
blé et sous la géante ombelle[1] du panais sauvage,[2] celle de la
mer grise ou bleue. Mais aucun été, sauf ceux de mon enfance,
ne commémore le géranium écarlate et la hampe enflammée
des digitales. Aucun hiver n'est plus d'un blanc pur à la base
d'un ciel bourré de nues ardoisées, qui présageaient une
tempête de flocons plus épais, puis un dégel illuminé de mille
gouttes d'eau et de bourgeons lancéolés[3]... Ce ciel pesait sur
le toit chargé de neige des greniers à fourrages, le noyer nu, la
girouette, et pliait les oreilles des chattes... La calme et verticale
chute de neige devenait oblique, un faible ronflement de mer
lointaine se levait sur ma tête encapuchonnée, tandis que
j'arpentais le jardin, happant la neige volante... Avertie par ses
antennes, ma mère s'avançait sur la terrasse, goûtait le temps,
me jetait un cri:

— La bourrasque d'Ouest! Cours! Ferme les lucarnes du
grenier!... La porte de la remise aux voitures!... Et la fenêtre de
la chambre du fond!

Mousse exalté du navire natal, je m'élançais, claquant des
sabots, enthousiasmée si du fond de la mêlée blanche et bleu-
noir, sifflante, un vif éclair, un bref roulement de foudre,
enfants d'Ouest et de Février, comblaient tous deux un des

[1] 'flower cluster.' [2] 'wild parsnip.' [3] 'spear-headed.'

33

abîmes du ciel... Je tâchais de trembler, de croire à la fin du monde.

Mais dans le pire du fracas ma mère, l'œil sur une grosse loupe cerclée de cuivre, s'émerveillait, comptant les cristaux ramifiés d'une poignée de neige qu'elle venait de cueillir aux mains même de l'Ouest rué sur notre jardin...

COLETTE: *Sido*, 1930
(Éditions J. Ferenczi et Fils.)

II

L'apparition quasi miraculeuse de la terre au printemps, après les longs mois d'hiver... La neige redoutable se muant en[1] ruisselets espiègles sur toutes les pentes; les racines surgissant, puis la mousse encore gonflée d'eau, et bientôt le sol délivré sur lequel on marche avec des regards de délice et des soupirs d'allégresse, comme en une exquise convalescence ... Un peu plus tard les bourgeons se montraient sur les bouleaux, les aunes et les trembles, le bois de charme[2] se couvrait de fleurs roses, et après le repos forcé de l'hiver le dur travail de la terre était presque une fête; peiner du matin au soir semblait une permission bénie...

Après cela, c'était l'été: l'éblouissement des midis ensoleillés, la montée de l'air brûlant qui faisait vaciller l'horizon et la lisière du bois, les mouches tourbillonnant dans la lumière, et à trois cents pas de la maison les rapides et la chute, — écume blanche sur l'eau noire, — dont la seule vue répandait une fraîcheur délicieuse. Puis la moisson, le grain nourricier s'empilant dans les granges, l'automne, et bientôt l'hiver qui revenait... Mais voici que miraculeusement l'hiver ne paraissait plus détestable ni terrible: il apportait tout au moins[3] l'intimité

---

[1] 'changing into.'   [2] 'hornbeam.'   [3] 'at the very least.'

de la maison close, et au dehors, avec la monotonie et le silence
de la neige amoncelée, la paix, une grande paix...

LOUIS HÉMON: *Maria Chapdelaine*, 1916
(Éditions Bernard Grasset.)

1. What are your first impressions on reading Colette? How does
   she recapture the sensations of the past? What has the child in
   common with her mother?

2. How does Hémon's delight in the beauty of nature differ
   from Colette's? Does he aim at giving us an exact picture of
   nature or at making us understand a way of life?

3. Show how in both passages the style is appropriate to the
   thought. Consider Colette's use of exact words, scientific and
   artistic; her powers of detailed observation; the alert rhythm
   of her sentences. Find points of comparison and contrast in
   Hémon.

4. In conclusion, how are the personalities of both authors reflected
   in their style?

i. PAUL VERLAINE
L'Heure du Berger

ii. ALFRED DE VIGNY
La Maison du Berger

I

La lune est rouge au brumeux horizon;
Dans un brouillard qui danse, la prairie
S'endort fumeuse et la grenouille crie
Par les joncs verts où circule un frisson;

Les fleurs des eaux referment leurs corolles;
Des peupliers profilent[1] aux lointains
Droits et serrés, leurs spectres incertains;
Vers les buissons errent les lucioles;

Les chats-huants[2] s'éveillent, et sans bruit
Rament l'air noir avec leurs ailes lourdes,
Et le zénith s'emplit de lueurs sourdes.
Blanche, Vénus émerge, et c'est la nuit.

PAUL VERLAINE: *Poèmes Saturniens,* 1866

II

La Nature t'attend dans un silence austère;
L'herbe élève à tes pieds son nuage des soirs,
Et le soupir d'adieu du soleil à la terre
Balance les beaux lis comme des encensoirs.[3]
La forêt a voilé ses colonnes profondes,
La montagne se cache, et sur les pâles ondes
Le saule a suspendu ses chastes reposoirs.[4]

[1] A transitive verb. Object? [2] 'owls.' [3] 'censers.' [4] Wayside altar upon which the monstrance is placed during processions.

Le crépuscule ami s'endort dans la vallée
Sur l'herbe d'émeraude et sur l'or du gazon,
Sous les timides joncs de la source isolée
Et sous le bois rêveur qui tremble à l'horizon,
Se balance en fuyant dans les grappes[1] sauvages,
Jette son manteau gris sur le bord des rivages,
Et des fleurs de la nuit entr'ouvre la prison. . .

ALFRED DE VIGNY: *Les Destinées*.
(Published in 1864, a year after the poet's death.)

1. Does Verlaine give a clear picture? Show how he appeals to the eye and to the ear. Find an example of an adjective normally applied to hearing, and here used to describe something seen. What is the effect on the reader?

2. Do you think Vigny's approach is more personal? How does he differ from Verlaine in his use of adjectives? Give examples of adjectives commonly applied to people and here applied to nature. Discuss his use of personification, simile and metaphor. What is the value of the associations aroused? Do they add to the grandeur of Vigny's poem?

3. How does Verlaine create atmosphere by his skill as a versifier? Discuss his use of consonants and vowel sounds. Divide each line into two and note the position of 'e' mute throughout the poem. Comment on any effect thus obtained.

4. Study the versification of Vigny's poem. Compare his rhyming scheme with Verlaine's. How is each suited to the poem in which it is used? Account for the fact that Vigny makes less use of 'enjambement' than Verlaine. Give an example in Vigny's poem where rapidity of action is suggested by the arrangement of syllables $1 + 5$ in a hemistitch. Suggest a reason why, on the whole, the beauty of Vigny's poem depends less on versification than does Verlaine's.

5. State briefly which poem you prefer and why.

[1] 'clusters.'

I. MARCEL SCHWOB
L'Étoile de Bois

II. PAUL FORT
L'Émoi Forestier

I

Dans cette ancienne forêt il y avait moins de routes que de clairières; des prés ronds gardés par de hauts chênes; des lacs de fougères immobiles sur qui planaient des rameaux frêles et frais comme des doigts de femme; des sociétés d'arbres graves comme des pilastres et assemblés pour murmurer pendant les siècles leurs délibérations de feuilles; d'étroites fenêtres de branches qui s'ouvraient sur un océan de vert où tremblaient de longues ombres parfumées et les cercles d'or blanc du soleil; des îles enchantées de bruyères roses et des rivières d'ajoncs; des treillis de lueurs et de ténèbres; des grands espaces naturels d'où surgissaient, tout frissonnants, les jeunes pins et les chênes puérils; des lits d'aiguilles rousses où les fourches mousseuses des vieux arbres semblaient plonger à mi-jambes; des berceaux d'écureuils et des nids de vipères; mille tressaillements d'insectes et flûtements d'oiseaux. Dans la chaleur, elle bruissait comme une puissante fourmilière; et elle retenait, après la pluie, une pluie à elle, lente, morne, entêtée, qui tombait de ses cimes et noyait ses feuilles mortes. Elle avait sa respiration et son sommeil; parfois, elle ronflait; parfois, elle se taisait, toute muette, toute coite,[1] toute épieuse,[2] sans un frôlis de serpent, sans un trille de fauvette. Qu'attendait-elle? Nul ne savait. Elle avait sa volonté et ses goûts: car elle lançait tout droit des lignes de bouleaux, qui filaient comme des traits[3]; puis elle avait peur, et s'arrêtait dans un coin pour

[1] masc. coi: 'quiet, peaceful.'   [2] épier: to watch.   [3] 'arrows.'

frémir sous un bouquet de trembles; elle avançait aussi un pied sur la lisière, jusque dans la plaine, mais n'y restait guère, et s'enfuyait de nouveau parmi l'horreur froide de ses plus hautes et profondes futaies, jusque dans son centre nocturne. Elle tolérait la vie des bêtes, et ne semblait pas s'en apercevoir; mais ses troncs inflexibles, résistants, épanouis comme des foudres solidifiées jaillies de la terre, étaient hostiles aux hommes.

MARCEL SCHWOB: *L'Étoile de Bois*, 1903
(Mercure de France.)

II

Dans la verte lueur du chemin sous forêt — comme un reflet de jour fait vivre une émeraude — de la mousse à la voûte un papillon blanc rôde, mais déjà, léger souvenir, il disparaît.

La pesée de mon pas en la tombée du soir rend solennels et[1] l'ombre et[1] les pins jusqu'aux cimes, le chemin qui s'efface où mon âme a cru voir la clarté morte[2] de l'étang sérénissime.

J'ai peur d'un bruit, et que sera le bruit prochain? Et cette peur je l'aime et ce bruit je le crains. Au mal comme au plaisir, tout entier je me livre. Voudrais-je ici mourir? Caché, voudrais-je y vivre?

Quelle heure est-il jamais en ces bois ténébreux? Est-ce l'aube ou la mort du jour, ce crépuscule? Est-ce l'âme des arbres vifs émanant d'eux, ou les fantômes des arbres morts qui circulent?

Au geste des fougères, à la brusque envolée d'un faisan, à la paix de mon pas, au murmure immense du silence, aux gouffres étoilés que battent par millions les feuilles des ramures,

à la lune glacée dont un vent muet berce le grand gel[3] pris[4]

---

[1] 'both ... and.' [2] Why should the light of the pond be described as 'dead'?
[3] order of the words? [4] 'caught.'

soudain entre les branches noires, mon âme, comme le vif-argent, ne se disperse que pour se rejoindre[1] tout aussitôt[2] ce soir!

Est-ce un plaisir, un mal où mon âme se livre? J'ai peur d'un bruit et que sera le bruit prochain? Et cette peur je l'aime et ce bruit je le crains. Voudrais-je ici mourir? Caché, voudrais-je y vivre?

Ce qui m'étreint, puis me caresse, ou me traverse telle une épée, c'est tout cela: plaisirs ou maux? c'est l'odeur de la mousse et des feuilles que perce l'odeur de la fumée lointaine des hameaux!

PAUL FORT: *Anthologie des Ballades Françaises*, 1897
(Librairie Ernest Flammarion.)

1. Describe the moods of the forests, and their attitude towards humanity.

2. Who experiences the feeling of mystery in the poem? in the prose passage?

3. Does the poet find peace? Does he find unity within himself and with the earth?

4. What scents are evoked in the poem? What sights and sounds? Show how the atmosphere of stillness is produced by the meanings of the words themselves and by the use of vowel sounds and consonants.

5. Is the description in the prose extract clearer and more definite? Is the atmosphere of mystery sustained or are there contrasts? How does the rhythm of phrasing suggest the solemnity of the 'sociétés d'arbres'? Consider the use of adjectives such as 'morne' and 'entêté', and of metaphor. How is the tenseness of waiting conveyed in line 20?

6. Compare these extracts with Laurence Binyon's 'Initiation.'

[1] Think of the comparison with quicksilver.　[2] 'immediately.'

X

1. JEAN-ANTOINE DE BAÏF
Du Printemps

11. VICTOR HUGO
Premier Mai

I

La froidure paresseuse
De l'yver a fait son temps;
Voicy la saison joyeuse
Du délicieux printemps.

La terre est d'herbes ornée,
L'herbe de fleuretes l'est;
La feuillure retournée
Fait ombre dans la forest.

De grand matin, la pucelle[1]
Va devancer la chaleur,
Pour de la rose nouvelle
Cueillir l'odorante fleur.

Pour avoir meilleure grace
Soit qu'elle en pare son sein,
Soit que présent elle en fasse
A son amy, de sa main:

Qui, de sa main l'ayant uë[2]
Pour souvenance d'amour,
Ne la perdra point de vuë,
La baisant cent fois le jour.

[1] 'maiden.' [2] = eu.

41

Mais oyez[1] dans le bocage
Le flageolet du berger,
Qui agace le ramage
Du rossignol bocager.

Voyez l'onde clere et pure
Se cresper dans les ruisseaux;
Dedans, voyez la verdure
De ces voisins arbrisseaux.

La mer est calme et bonasse;
Le ciel est serein et cler,
La nef jusqu'aux Indes passe;
Un bon vent la fait voler.

Les menageres avetes[2]
Font çà et là un doux fruit,
Voletant par les fleuretes
Pour cueillir ce qui leur duit.[3]

En leur ruche elles amassent
Des meilleures fleurs la fleur,
C'est à fin qu'elles en fassent
Du miel la douce liqueur.

Tout resonne des voix nettes
De toutes races d'oyseaux,
Par les chams, des alouetes,
Des cygnes, dessus les eaux.

[1] 'hear.' [2] avete = abeille. [3] 'duit' from 'duire', to please.

Aux maisons, les arondelles,
Les rossignols, dans les boys,
En gayes chansons nouvelles
Exercent leurs belles voix.

Doncques, la douleur et l'aise
De l'amour je chanteray,
Comme sa flame ou mauvaise,
Ou bonne, je sentiray.

Et si le chanter m'agrée,
N'est-ce pas avec raison,
Puis qu'ainsi tout se recrée
Avec la gaye saison?

JEAN-ANTOINE DE BAÏF: *Passe-Temps*, 1573

II

Tout conjugue le verbe aimer. Voici les roses.
Je ne suis pas en train de parler d'autres choses.
Premier mai. L'amour gai, triste, brûlant, jaloux,
Fait soupirer les bois, les nids, les fleurs, les loups;
L'arbre où j'ai, l'autre automne, écrit une devise,[1]
La redit pour son compte et croit qu'il l'improvise;
Les vieux antres pensifs, dont rit le geai moqueur,
Clignent leurs gros sourcils et font la bouche en cœur;
L'atmosphère, embaumée et tendre, semble pleine
Des déclarations qu'au printemps fait la plaine,
Et que l'herbe amoureuse adresse au ciel charmant.
A chaque pas du jour dans le bleu firmament,

[1] 'motto.'

43

La campagne éperdue et toujours plus éprise,
Prodigue les senteurs, et dans la tiède brise
Envoie au renouveau[1] ses baisers odorants.
Tous ses bouquets, azurs, carmins, pourpres, safrans,
Dont l'haleine s'envole en murmurant: Je t'aime!
Sur le ravin, l'étang, le pré, le sillon même,
Font[2] des taches partout de toutes les couleurs;
Et, donnant les parfums, elle[3] a gardé les fleurs;
Comme si ses soupirs et ses tendres missives
Au mois de mai, qui rit dans les branches lascives,
Et tous les billets doux de son amour bavard
Avaient laissé leur trace aux pages du buvard.

Les oiseaux dans les bois, molles voix étouffées,
Chantent des triolets et des rondeaux aux fées;
Tout semble confier à l'ombre un doux secret;
Tout aime, et tout l'avoue à voix basse; on dirait
Qu'au nord, au sud brûlant, au couchant, à l'aurore,
La haie en fleur, le lierre et la source sonore,
Les monts, les champs, les lacs et les chênes mouvants
Répètent un quatrain fait par les quatre vents.

VICTOR HUGO: *Les Contemplations,* 1856

Baïf's poem is gay and charming, Hugo's more complex.
Work out a comparison of the two poems.

[1] 'springtide.'   [2] Subject of the verb?   [3] Refers to?

XI

I. VICTOR HUGO
Écrit sur la Vitre d'une Fenêtre Flamande

II. LOUIS BERTRAND
L'Infante

I

J'aime le carillon dans tes cités antiques,
O vieux pays gardien de tes mœurs domestiques,
Noble Flandre, où le nord se réchauffe engourdi
Au soleil de Castille et s'accouple au midi![1]
Le carillon, c'est l'heure inattendue et folle
Que l'œil croit voir, vêtue en danseuse espagnole,
Apparaître soudain par le trou vif et clair
Que ferait[2] en s'ouvrant une porte de l'air.
Elle vient, secouant sur les toits léthargiques
Son tablier d'argent plein de notes magiques,
Réveillant sans pitié les dormeurs ennuyeux,
Sautant à petits pas comme un oiseau joyeux,
Vibrant, ainsi qu'un dard qui tremble dans la cible;[3]
Par un frêle escalier de cristal invisible,
Effarée et dansante, elle descend des cieux;
Et l'esprit, ce veilleur, fait[4] d'oreilles et d'yeux,
Tandis qu'elle va, vient, monte et descend encore,
Entend de marche en marche errer son pied sonore!

VICTOR HUGO: *Les Rayons et les Ombres*, 1840

II

Dans ce petit vallon pastoral suspendu aux flancs de
l'énorme Canigou,[5] parmi les mûriers et les cornouillers[6] aux

[1] Spain occupied the Low Countries for nearly two hundred years.
[2] Notice the tense. [3] 'dart-board.' [4] past participle. [5] The easternmost
peak of the Pyrenees. [6] 'dog-wood.'

baies rougissantes, les visages grimaçants et les monstres symboliques des imagiers romans[1] s'étaient dispersés comme des fantômes au grand jour. Au sortir des roches déjà brûlantes, ce lieu ombragé vous rafraîchissait l'âme en même temps que le regard. Il était doux, recueilli, débordant d'une paix qui annonçait le cloître[2] tout proche. Il y flottait un air extraordinairement pur, cet air subtil, et, par instants, glacé, qui dilaté la poitrine, sur les hauteurs..... Soudain, un son clair, virginal, au timbre délicieux à entendre, sembla se détacher de la vieille tour carolingienne.[3] C'était le premier coup des cloches s'ébranlant pour la volée des grandes fêtes, — les cloches neuves récemment installées par l'Évêque dans le campanile muet depuis plus d'un siècle. D'abord isolées, les coupetées tombaient l'une après l'autre, comme des balles d'argent, dans ce bassin d'air pur, dans cette immense lumière azurine des hauts sommets, si délicate et si fraîche à cette heure encore voisine de l'aube. Tout le ciel était un vase de cristal limpide et mélodieux où les vibrations lentes, prolongées, se répercutaient à l'infini. Le métal vierge des cloches, humides à peine de l'eau baptismale, avait une sensibilité de voix humaine, la voix angélique d'un enfant de chœur innocent ou d'une très jeune moniale[4]... Puis, peu à peu, toutes les cloches à l'unisson confondirent leurs nappes sonores. En éclaboussures de diamant, elles rejaillissaient au plus haut des aires granitiques, par delà la région des étangs et des glaciers, et c'était comme un diadème de sons éblouissants, une constellation de pierreries fulgurantes au front immaculé de la montagne.

LOUIS BERTRAND: *L'Infante*, 1920
(Librairie Arthème Fayard.)

[1] 'romanesque,' i.e. the style of architecture prevalent in Europe before the rise of Gothic. [2] Saint Martin du Canigou, an eleventh-century abbey, recently restored. [3] 'carolingian,' i.e. belonging to the second dynasty of kings founded by Charlemagne. [4] 'cloistered nun.'

1. What, briefly, does each author describe?

2. Why does Hugo admire the Low Countries?

3. Describe the mountain scenery of the Canigou.

4. Which has the more romantic setting, the prose passage or the poetry?

5. Why is there an element of the unexpected in the ringing of the bells?

6. How does Hugo use visual images to suggest sound?

7. What similes do we find in Louis Bertrand? Are they appropriate?

8. Which passage has the greater unity? Which gives an impression of variety and complexity?

9. Discuss the value of both passages in conveying atmosphere.

XII

I. JEAN-JACQUES ROUSSEAU
La Nouvelle Héloïse

II. CHARLES FERDINAND RAMUZ
Vendanges

I

Depuis un mois, les chaleurs de l'automne apprêtaient d'heureuses vendanges; les premières gelées en ont amené l'ouverture; le pampre grillé, laissant la grappe à découvert, semble inviter les mortels à s'en emparer. Toutes les vignes chargées de ce fruit bienfaisant que le ciel offre aux infortunés pour leur faire oublier leur misère; le bruit des tonneaux, des cuves, des légrefass[1] qu'on relie de toutes parts; le chant des vendangeuses dont ces coteaux retentissent; la marche continuelle de ceux qui portent la vendange au pressoir; le rauque son des instruments rustiques qui les anime au travail; l'aimable et touchant tableau d'une allégorie générale qui semble en ce moment étendue sur la surface de la terre; enfin, le voile de brouillard que le soleil élève au matin comme une toile de théâtre pour découvrir à l'œil un si charmant spectacle; tout conspire à lui donner un air de fête, et cette fête n'en devient que plus belle à la réflexion, quand on songe qu'elle est la seule où les hommes aient su joindre l'agréable à l'utile.

M. de Wolmar, dont ici le meilleur terrain consiste en vignobles, a fait d'avance tous les préparatifs nécessaires. Les cuves, le pressoir, le cellier, les futailles,[2] n'attendaient que la douce liqueur pour laquelle ils sont destinés. Mme de Wolmar s'est chargée de la récolte; le choix des ouvriers, l'ordre et la distribution du travail la regardent. Mme d'Orbe préside aux

---

[1] 'large casks.'   [2] 'barrels.'

festins de vendange et au salaire des journaliers selon la police établie, dont les lois ne s'enfreignent jamais ici...

Vous ne sauriez concevoir avec quel zèle, avec quelle gaieté tout cela se fait... On passe aux vignes toute la journée: Julie y fait faire une loge où l'on va se chauffer quand on a froid, et dans laquelle on se réfugie en cas de pluie. On dîne avec les paysans, et à leur heure, aussi bien qu'on travaille avec eux. On mange avec appétit leur soupe un peu grossière, mais bonne, saine, et chargée d'excellents légumes. On ne ricane point orgueilleusement de leur air gauche et de leurs compliments rustauds; pour les mettre à leur aise, on s'y prête sans affectation. Ces complaisances ne leur échappent pas, ils y sont sensibles[1]; et voyant qu'on veut bien sortir pour eux de sa place, ils s'en tiennent d'autant plus volontiers dans la leur...

JEAN-JACQUES ROUSSEAU: *La Nouvelle Héloïse*, 1761

II

C'était le temps (il faut y revenir) où on avait encore des vacances de vendanges (on n'en a plus maintenant). Les fenêtres de nos collèges, et même celles du Collège cantonal, étaient encore ouvertes sur les saisons qui y entraient l'une après l'autre, librement; celle des fleurs, celle des fruits, celle de quand on sème, celle de quand on récolte. Le pays venait nous appeler jusque parmi nos livres, avec sa vie à lui, et aux vendanges de Virgile[2] nous invitait à comparer les siennes. Trois ou quatre ans de suite et de dix à quatorze ans, je suis ainsi parti, docile à son appel, ayant connu la brusque intrusion des choses parmi nos différentes 'matières d'enseignement', une règle vécue parmi les règles écrites. Vacances de saisons et marquant les quatre saisons, chacune avec ses travaux: il y avait encore les vacances de printemps, d'été, d'automne, les

[1] 'sensitive to,' 'aware of.'   [2] Insert a comma.

vacances pour les foins, pour la moisson, pour les vendanges; on sortait de ses devoirs d'écolier pour rentrer, chaque fois, dans les travaux des hommes. On quittait la feuille imprimée pour celles qui pendent aux branches; l'abri monotone et trompeur d'un toit d'ardoises pour les péripéties[1] d'un ciel fait d'air, de soleil, de nuages, vers qui montait le brouillard, d'où la pluie descendait...

On sent encore le froid qu'on a au bout des doigts. On entend encore le bruit des ciseaux, et sur l'acier noirci le mouvement des lames chassait une substance noire faite d'eau et de sève qui finissait par vous tacher les mains, elles-mêmes trempées d'eau glacée à la fois et du jus des raisins, tandis que la seille[2] neuve à vos pieds garde mille petits débris grenus qui collent au bois jaune comme du beurre d'herbe.

Grincement des ciseaux: leurs deux anneaux d'acier vous entraient dans la peau de l'index et du pouce. On essayait de casser la tige de la grappe, et on nous avait montré comment il fallait s'y prendre, c'est-à-dire d'un coup sec et en ayant bien soin de s'attaquer au nœud; on le manquait régulière-ment, ce nœud; alors partout ailleurs ces tiges sont faites d'une substance ligneuse,[3] à longues fibres résistantes, qu'on a beau tordre et tordre encore; elles s'obstinaient à ne pas céder. On s'énervait, on écrasait les grappes entre ses doigts, le jus vous en coulait jusque sous la manche de votre veste; et les grains (les 'graines', comme on dit respectueusement, dans le vignoble) roulaient à terre, ce qui est plus grave, parce que la chose peut se voir et se verra, et on entend d'avance la voix du brantard[4] qui va venir vous prendre votre seille: 'Ah! ces apprentis vignerons, quelle triste espèce d'ouvriers vous faites! ...' mi-plaisantant, mi-fâché. Puis voilà qu'on constate

---

[1] 'sudden changes.'   [2] 'wooden pail.'   [3] 'woody.'   [4] dialect: the man who takes the grapes to the wine press.

encore qu'on est de deux ou trois ceps en retard déjà sur ses voisines; on a un petit mal de dos, on a un petit mal de tête; on a encore la bouche pleine de l'épaisseur sucrée de trop de raisins avalés la veille et qui se mêle au goût du mouton aux raves[1] qu'on a mangé pour le dîner (c'était le traditionnel repas des vendanges); une grande envie de dormir, et terriblement exigeante, venait flotter par là-dessus; — pourtant il faut qu'on avance, il faut même qu'on se dépêche sans quoi les femmes vont se moquer de vous; on empoigne sa seille par ses deux oreilles de bois, on la soulève, qui est lourde; on la monte d'un pas ou deux, on la pose à nouveau dans l'argile où elle s'enfonce; — et le brouillard en s'élevant découvre devant vous l'infinité des feuilles, le bizarre brouillard de ces pays déjà à demi montagneux, où il s'amuse à descendre et monter plusieurs fois de suite au cours de la journée, cachant les rochers, les pâturages, les forêts, puis seulement les rochers; puis, de nouveau, toutes choses et encore une fois les vignes elles-mêmes; avant que définitivement il se défasse et il s'éparpille, comme quand on déchire entre ses doigts, en mille petits morceaux, une feuille de papier.

CHARLES FERDINAND RAMUZ: *Vendanges*, 1944
(Éditions Mermod.)

1. Examine the value of each passage, (*a*) as a description, (*b*) as an indication of the writer's feelings and personality.

2. Comment on the difference in style between the two extracts. Can you suggest reasons why this difference should be so marked?

[1] 'turnips.'

II
REFLECTIVE

XIII

i. FRANÇOIS-RENÉ DE CHATEAUBRIAND
Le Génie du Christianisme

ii. BLAISE PASCAL
Pensées

I

Il est un Dieu; les herbes de la vallée et les cèdres de la montagne le bénissent, l'insecte bourdonne ses louanges, l'éléphant le salue au lever du jour, l'oiseau le chante dans le feuillage, la foudre fait éclater sa puissance, et l'Océan déclare son immensité. L'homme seul a dit: Il n'y a point de Dieu.

Il n'a donc jamais, celui-là, dans ses infortunes, levé les yeux vers le ciel, ou dans son bonheur, abaissé ses regards vers la terre? La nature est-elle si loin de lui qu'il ne l'ait pu contempler, ou la croit-il le simple résultat du hasard? Mais quel hasard a pu contraindre une matière désordonnée et rebelle à s'arranger dans un ordre si parfait?

On pourrait dire que l'homme est *la pensée manifestée de Dieu*, et que l'univers est *son imagination rendue sensible*.[1] Ceux qui ont admis la beauté de la nature comme preuve d'une intelligence supérieure auraient dû faire remarquer une chose qui agrandit prodigieusement la sphère des merveilles: c'est que le mouvement et le repos, les ténèbres et la lumière, les saisons, la marche des astres, qui varient les décorations du monde, ne sont pourtant successifs qu'en apparence, et sont permanents en réalité. La scène qui s'efface pour nous se colore pour un autre peuple; ce n'est pas le spectacle, c'est le spectateur qui change. Ainsi Dieu a su réunir dans son ouvrage la durée *absolue* et la durée *progressive*: la première est placée dans le *temps*, la seconde dans l'*étendue*: par celle-là, les grâces de

---

[1] 'tangible.'

l'univers sont unes, infinies, toujours les mêmes; par celle-ci, elles sont multiples, finies et renouvelées: sans l'une il n'y eût point eu de grandeur dans la création; sans l'autre, il y eût eu monotonie.

Ici le temps se montre à nous sous un rapport nouveau; la moindre de ses fractions devient un *tout complet*, qui comprend tout, et dans lequel toutes choses se modifient, depuis la mort d'un insecte jusqu'à la naissance d'un monde: chaque minute est en soi une petite éternité.[1] Réunissez donc en un même moment, par la pensée, les plus beaux accidents[2] de la nature; supposez que vous voyez à la fois toutes les heures du jour et toutes les saisons, un matin de printemps et un matin d'automne, une nuit semée d'étoiles et une nuit couverte de nuages, des prairies émaillées de fleurs, des forêts dépouillées par les frimas, des champs dorés par les moissons: vous aurez alors une idée juste du spectacle de l'univers. Tandis que vous admirez ce soleil qui se plonge sous les voûtes de l'occident, un autre observateur le regarde sortir des régions de l'aurore. Par quelle inconcevable magie ce vieil astre[3] qui s'endort fatigué et brûlant dans la poudre du soir, est-il en ce moment même ce jeune astre qui s'éveille humide de rosée dans les voiles blanchissants de l'aube? A chaque moment de la journée le soleil se lève, brille à son zénith, et se couche sur le monde; ou plutôt nos sens nous abusent, et il n'y a ni orient, ni midi, ni occident vrai. Tout se réduit à un point fixe d'où le flambeau du jour fait éclater à la fois trois lumières en une seule substance. Cette triple splendeur est peut-être ce que la nature a

---

[1] Compare Blake:

      'To see a world in a grain of sand,
      And a Heaven in a wild flower;
      Hold infinity in the palm of your hand,
      And eternity in an hour.'—*Auguries of Innocence*.

[2] 'varied scenes.'   [3] Compare note on ' La Fête Arabe'.

de plus beau; car, en nous donnant l'idée de la perpétuelle magnificence et de la toute-puissance de Dieu, elle nous montre aussi une image éclatante de sa glorieuse Trinité...

FRANÇOIS-RENÉ DE CHATEAUBRIAND:
Le Génie du Christianisme, 1802

II

Que l'homme contemple donc la nature entière dans sa haute et pleine majesté, qu'il éloigne sa vue des objets bas qui l'environnent. Qu'il regarde cette éclatante lumière, mise comme une lampe éternelle pour éclairer l'univers, que la terre lui paraisse comme un point au prix du[1] vaste tour que cet astre décrit et qu'il s'étonne de ce que ce vaste tour lui-même n'est qu'une pointe très délicate à l'égard de celui que les astres qui roulent dans le firmament embrassent. Mais si notre vue s'arrête là, que l'imagination passe outre; elle se lassera plutôt de concevoir, que la nature de fournir. Tout ce monde visible n'est qu'un trait imperceptible dans l'ample sein de la nature. Nulle idée n'en approche. Nous avons beau enfler nos conceptions, au delà des espaces imaginables, nous n'enfantons que des atomes, au prix de la réalité des choses. C'est une sphère dont le centre est partout, la circonférence nulle part. Enfin c'est le plus grand caractère sensible[2] de la toute-puissance de Dieu, que notre imagination se perde dans cette pensée.

BLAISE PASCAL: *Pensées*
(Published in 1670, eight years after Pascal's death.)

1. Analyse the thought of the passage by Chateaubriand. How, according to him, does man differ from the rest of the universe? What truth is evident to certain men? To what further

[1] 'compared with.'　[2] 'perceptible.'

conclusion should they come? Explain 'clearly 'chaque minute est en soi une petite éternité'. How does a knowledge of God explain nature? How does the contemplation of nature increase our knowledge of God? Does such an argument prove the existence of a Christian God?

2. What points of similarity are there in the passage by Pascal? How does the conclusion differ? On what does Pascal base his further knowledge of God? Explain 'Enfin ... cette pensée'. Which argument — Chateaubriand's or Pascal's — seems to you the sounder and more logical?

3. What gives Chateaubriand's prose its rhythm and balance? Show how the rhythm is moulded by the thought. Study his use of repetition and antithesis. How far does he appeal to the ear of the listener in order to move him into accepting his statements?

4. Is Pascal's aim to convince? Does his style appeal to our emotions? and to our intellect? Can you detect the scientist and the mathematician ? Consider his use of words and the construction of his sentences.

XIV

RENÉ DESCARTES
Méditation Quatrième

Et ce qui me semble ici bien remarquable est que, de toutes les
autres choses qui sont en moi, il n'y en a aucune si parfaite et
si grande que je ne reconnaisse bien qu'elle pourrait être
encore plus grande et plus parfaite. Car, par exemple, si je
considère la faculté de concevoir qui est en moi, je trouve
qu'elle est d'une fort petite étendue et grandement limitée, et
tout ensemble[1] je me représente l'idée d'une autre faculté
beaucoup plus ample et même infinie; et de cela seul que je
puis me représenter son idée,[2] je connais sans difficulté qu'elle
appartient à la nature de Dieu. En même façon si j'examine la
mémoire, ou l'imagination, ou quelque autre faculté qui soit
en moi, je n'en trouve aucune qui ne soit très petite et bornée,
et qui en Dieu ne soit immense et infinie. Il n'y a que la
volonté seule ou la seule liberté du franc arbitre[3] que j'expéri-
mente en moi être si grande que je ne conçois point l'idée
d'aucune autre plus ample et plus étendue: en sorte que c'est
elle principalement qui me fait connaître que je porte l'image
et la ressemblance de Dieu. Car, encore qu'elle soit incompa-
rablement plus grande dans Dieu que dans moi, soit[4] à raison
de la connaissance et de la puissance qui se trouvent jointes
avec elle et qui la rendent plus ferme et plus efficace, soit[4] à
raison de l'objet, d'autant qu'elle se porte[5] et s'étend infini-
ment à plus de choses, elle ne me semble pas toutefois[6] plus
grande si je la considère formellement et précisément en
elle-même. Car elle consiste seulement en ce que nous pouvons[7]
faire une même chose ou ne la faire pas, c'est-à-dire affirmer

---

[1] 'at the same time.'   [2] 'from the mere fact that I can form the idea of it.'
[3] 'It is free-will alone or liberty of choice ...'   [4] 'whether ... or.'   [5] 'inasmuch
as in God it extends to ...'   [6] 'nevertheless.'   [7] 'in our having the power.'

ou nier, poursuivre ou fuir une même chose; ou plutôt elle consiste seulement en ce que,[1] pour affirmer ou nier, poursuivre ou fuir les choses que l'entendement nous propose, nous agissons de telle sorte que[1] nous ne sentons point qu'aucune force extérieure nous y contraigne. Car, afin que je sois libre, il n'est pas nécessaire que je sois indifférent à choisir l'un ou l'autre des deux contraires; mais plutôt, d'autant plus que je penche vers l'un, soit que je connaisse évidemment que le bien et le vrai s'y rencontrent, soit que Dieu dispose ainsi l'intérieur de ma pensée, d'autant plus librement j'en fais choix et je l'embrasse; et, certes, la grâce divine et la connaissance naturelle, bien loin de diminuer ma liberté, l'augmentent plutôt et la fortifient; de façon que cette indifférence que je sens lorsque je ne suis point emporté vers un côté plutôt que vers un autre par le poids d'aucune raison, est le plus bas degré de la liberté, et fait plutôt paraître un défaut dans la connaissance qu'une perfection dans la volonté: car si je connaissais toujours clairement ce qui est vrai et ce qui est bon, je ne serais jamais en peine de délibérer quel jugement et quel choix je devrais faire, et ainsi je serais entièrement libre sans jamais être indifférent.

RENÉ DESCARTES: *Méditation Quatrième*, 1647

1. Analyse the thought. Explain 'la faculté de concevoir'. In man this faculty is always limited, yet we realize that it can exist in a state of perfection. What conclusion does Descartes draw? According to Descartes, what other faculties are limited in man? How does the human will differ? If by its nature it is the same as in God, why does it differ in its application? What is the will? What two things make us choose one course of action rather than another? From what does indifference

[1] 'in the fact that ... we act so that ...'

spring? Explain clearly the relation between will-power and knowledge. What is the source of error?

2. Comment on the thought. Does it follow that only the intelligent man can be good? Do you think that we 'needs must love the highest when we see it'? If you have read any of Corneille's plays, find examples of conduct illustrating Descartes' thought. Has the outlook of Descartes any bearing on modern everyday life?

3. What makes his style clear and logical? Consider his use of conjunctions and subordinate clauses. Is his prose detached and impersonal? Is he indifferent to (a) what he has discovered? (b) the effect produced on his readers? Are there any examples of antithesis or repetition which may be taken as coming from a desire to appeal to the emotions of others? Is the fact that he himself has arrived at an ordered philosophy and explanation of life reflected in any way in his style?

XV

I. ALPHONSE DE LAMARTINE
L'Immortalité

II. ALFRED DE MUSSET
L'Espoir en Dieu

I

'Vain espoir!' s'écriera le troupeau d'Épicure[1]
Et celui dont la main disséquant la nature,
Dans un coin du cerveau nouvellement décrit
Voit penser la matière[2] et végéter l'esprit.
'Insensé,' diront-ils, 'que trop d'orgueil abuse,
Regarde autour de toi: tout commence et tout s'use,[3]
Tout marche vers un terme et tout naît pour mourir·
Dans ces prés jaunissants tu vois la fleur languir,
Tu vois dans ces forêts le cèdre au front superbe
Sous le poids de ses ans tomber, ramper sous l'herbe;
Dans leurs lits desséchés tu vois les mers tarir;
Les cieux même, les cieux commencent à pâlir;
Cet astre dont le temps a caché la naissance,
Le soleil, comme nous, marche à sa décadence,
Et dans les cieux déserts les mortels éperdus
Le chercheront un jour et ne le verront plus!
Tu vois autour de toi dans la nature entière
Les siècles entasser poussière sur poussière,
Et le temps, d'un seul pas confondant ton orgueil,
De tout ce qu'il produit devenir le cercueil.
Et l'homme, et l'homme seul, ô sublime folie,
Au fond de son tombeau croit retrouver la vie,
Et dans le tourbillon au néant emporté,
Abattu par le temps, rêve l'éternité!'

[1] Epicurus, a Greek philosopher. [2] Order of words? [3] Meaning of 's'user'?

Qu'un autre vous réponde, ô sages de la terre!
Laissez-moi mon erreur: j'aime, il faut que j'espère;
Notre faible raison se trouble et se confond.
Oui, la raison se tait; mais l'instinct vous répond.
Pour moi, quand[1] je verrais dans les célestes plaines
Les astres, s'écartant de leurs routes certaines,
Dans les champs de l'éther l'un par l'autre heurtés,
Parcourir au hasard les cieux épouvantés;
Quand j'entendrais gémir et se briser la terre;
Quand je verrais son globe errant et solitaire,
Flottant loin des soleils, pleurant l'homme détruit,
Se perdre dans les champs de l'éternelle nuit;
Et quand, dernier témoin de ces scènes funèbres,
Entouré du chaos, de la mort, des ténèbres,
Seul je serais debout: seul, malgré mon effroi,
Être infaillible et bon, j'espérerais en toi,
Et, certain du retour de l'éternelle aurore,
Sur les mondes détruits je t'attendrais encore!

ALPHONSE DE LAMARTINE: *Premières Méditations*, 1820

II

Tant que[2] mon faible cœur, encor plein de jeunesse,
A ses illusions n'aura pas dit adieu,
Je voudrais m'en tenir à l'antique sagesse
Qui du sobre[3] Épicure a fait un demi-dieu.
Je voudrais vivre, aimer, m'accoutumer aux hommes,
Chercher un peu de joie et n'y pas trop compter,
Faire ce qu'on a fait, être ce que nous sommes,
Et regarder le ciel sans m'en inquiéter.

[1] 'even though.'   [2] 'as long as.'   [3] Epicurus advocated moderation as a means to happiness.

Je ne puis! Malgré moi l'infini me tourmente.
Je n'y saurais songer sans crainte et sans espoir;
Et, quoi qu'[1]on en ait dit, ma raison s'épouvante
De ne pas le comprendre, et pourtant de le voir.
Qu'est-ce donc que ce monde, et qu'y venons-nous faire,
Si, pour qu'on vive en paix, il faut voiler les Cieux?
Passer comme un troupeau, les yeux fixés à terre,
Et renier le reste, est-ce donc être heureux?
Non! c'est cesser d'être homme et dégrader son âme.
Dans la création le hasard m'a jeté;
Heureux ou malheureux, je suis né d'une femme,
Et je ne puis m'enfuir hors de l'humanité.

Que faire donc? — 'Jouis, dit la raison païenne;
Jouis et meurs; les dieux ne songent qu'à dormir.
— Espère seulement, répond la foi chrétienne;
Le Ciel veille sans cesse, et tu ne peux mourir.'
Entre ces deux chemins j'hésite et je m'arrête.
Je voudrais, à l'écart,[2] suivre un plus doux sentier.
'Il n'en existe pas, dit une voix secrète;
En présence du Ciel, il faut croire ou nier.'
Je le pense en effet; les âmes tourmentées
Dans l'un et l'autre excès se jettent tour à tour.
Mais les indifférents ne sont que des athées;
Ils ne dormiraient plus s'ils doutaient un seul jour.
Je me résigne donc, et, puisque la matière
Me laisse dans le cœur un désir plein d'effroi,
Mes genoux fléchiront; je veux croire, et j'espère.
Que vais-je devenir, et que veut-on de moi?

ALFRED DE MUSSET: *L'Espoir en Dieu*, 1838

[1] 'whatever.'   [2] 'on my own.'

1. In Lamartine's poem what are the arguments of the Epicureans and of the scientists against life after death?

2. Show how by mingling matter-of-fact statement and poetic description, they try to convince the poet.

3. What is the poet's attitude towards them? and what is their opinion of him? Does he need to be convinced?

4. What is Musset's ideal of life and how does it differ from Lamartine's?

5. What prevents him from following his ideal?

6. To what conclusion does reason, unaided by faith, lead? Is it opposed to faith?

7. On what does Lamartine base his belief? What personal experience has he had which was denied to Musset? Does he consider this experience valid for all men? Consider the relation between reason and instinct in Lamartine's poem.

8. How is the style of the poet's reply suited to his impassioned thought?

9. Contrast Musset's style, pointing out how it reflects the distress and confusion of his mind.

XVI

I. THÉOPHILE GAUTIER

Voyage en Italie

II. ÉLIE FAURE

Histoire de l'Art

I

La première impression que fait cette fresque merveilleuse tient du rêve: toute trace d'art a disparu; elle semble flotter à la surface du mur, qui l'absorbe comme une vapeur légère. C'est l'ombre d'une peinture, le spectre d'un chef-d'œuvre qui revient. L'effet est peut-être plus solennel et plus religieux que si le tableau même était vivant: le corps a disparu, mais l'âme survit tout entière.

Le Christ occupe le milieu de la table, ayant à sa droite saint Jean l'apôtre bien-aimé; saint Jean dans l'attitude d'adoration, l'œil attentif et doux, la bouche entr'ouverte, le visage silencieux, se penche respectueusement, mais affectueusement, comme le cœur appuyé sur le maître divin. Léonard a fait aux apôtres des figures rudes, fortement accentuées; car les apôtres étaient tous pêcheurs, manouvriers et gens du peuple. Ils indiquent, par l'énergie de leurs traits, par la puissance de leurs muscles, qu'ils sont l'Église naissante. Jean, avec sa figure féminine, ses traits purs, sa carnation[1] d'un ton fin et délicat, semble plutôt appartenir à l'ange qu'à l'homme; il est plus aérien que terrestre, plus poétique que dogmatique, plus amoureux encore que croyant, il symbolise le passage de la nature humaine à la nature divine. Le Christ porte empreinte sur son visage la douceur ineffable de la victime volontaire, l'azur du Paradis luit dans ses yeux, et les paroles de paix et de consolation tombent de ses lèvres comme

[1] 'flesh tints.'

la manne céleste dans le désert. Le bleu tendre de sa prunelle et la teinte mate de sa peau, dont un reflet semble avoir coloré le pâle Charles Ier de Van Dyck, révèlent les souffrances de la croix intérieure portée avec une résignation convaincue.[1] Il accepte résolûment son sort, et ne se détourne point de l'éponge de fiel dans ce dernier et libre repas. On sent un héros tout moral et dont l'âme fait la force, dans cette figure d'une incomparable suavité: le port de la tête, la finesse de la peau, les attaches[2] délicatement robustes, le jet pur des doigts, tout dénote une nature aristocratique au milieu des faces plébéiennes et rustiques de ses compagnons. Jésus-Christ est le fils de Dieu; mais il est aussi de la race des rois de Juda. A une religion toute spirituelle ne fallait-il pas un révélateur doux, élégant et beau, dont les petits enfants pussent s'approcher sans effroi? A la place de Jésus, assoyez Socrate à cette scène suprême, le caractère changera aussitôt: l'un demandera qu'on sacrifie un coq à Esculape[3]; l'autre s'offrira lui-même pour hostie,[4] et la beauté de l'art grec serait ici vaincue par la sérénité de l'art chrétien.

THÉOPHILE GAUTIER: *Voyage en Italie*, 1852

II

Il apercevait la source commune et le cercle éternel des choses. Il descendait au plus profond de la nature, sans autre intermédiaire que ses sens[5] entre l'univers extérieur qu'ils

---

[1] 'springing from conviction.' [2] 'joints.' [3] Socrates' last words were: 'Crito, I owe a cock to Asclepius; will you remember to pay the debt?' 'It was a custom with the ancients when stricken by some malady, to vow a cock or other offering to the Healing God Asclepius and to make due payment of their sick-bed vow upon recovery. So Socrates desired to pay his debt; for he had recovered from the long malady of life' (Cyril Robinson, *A History of Greece*). [4] The consecrated bread of the Eucharist. [5] e.g. seeing and hearing.

66

recueillaient[1] sans hâte et l'univers intérieur qui gouvernait leur émoi. Et quand il relevait les yeux pour contrôler[2] sur les visages et les attitudes des hommes les résultats de sa propre méditation, il constatait que leurs visages et leurs attitudes étaient faits du contact de leur esprit vivant des choses qui les environnent.

C'est pour cela que sa grande Cène, où le drame intérieur fait onduler la vie, tord et sculpte ses formes comme des arbres sur qui passe un ouragan, est l'œuvre de psychologie active[3] la plus haute de la peinture. Il avait la puissance de pénétrer sous chaque écorce, au fond de chaque crâne humain, de vivre sa tragédie intime, de la faire passer tout entière dans les gestes qu'elle dictait, et d'unir tous les mouvements de sérénité et de révolte, d'élans et de reculs, de réserve et d'abandon, en un seul mouvement d'esprit. Avec lui, c'est une arabesque psychologique que la forme transcrivait.

ÉLIE FAURE: *Histoire de l'Art*, 1921
(Crès et Cie.)

1. What was the effect upon Gautier when he first saw Leonardo da Vinci's ' Last Supper'?

2. How does he help one to visualize the picture?

3. Does he give his own interpretation, or is his description only of what he actually saw?

4. How does Élie Faure's interest in the same picture differ? Does it lie in the subject of the picture or in Leonardo's method of working?

5. How, according to Élie Faure, did Leonardo bridge the gap between the outer and the inner world? How did he approach the outer world? What was the influence of the inner world?

[1] 'absorbed.'   [2] 'verify.'   [3] 'constructive.'

6. How was Leonardo's method of approach echoed in the character of the people he painted?

7. Which of the two styles is the more complex? Suggest a reason why one passage is much easier to understand than the other. Why does Gautier use a greater number of adjectives than Faure?

8. Which is the more rhythmical of the two passages? Which passage gives the most help in appreciating the picture?

9. Which is the more stimulating to thought?

10. A modern critic writes of the 'Last Supper': 'Painted at the instance of Duke Ludovico Moro for the dining-room of the Cloister of the Dominican monks of Santa Maria delle Grazie. The building is no longer used as a convent, but Leonardo's painting is still there, or at least the ruins of it. ... What we can see of it at the present time is the original grand composition which could not be obliterated, patches of the old paint here and there, and the work of generations of restorers. ... And yet this greatest of all paintings, prior to Michelangelo's Sistine Chapel Frescoes, still radiates vitality, just as a tragedy of Sophocles speaks to us again even in the poorest translation, or the Elgin Marbles through mutilated and broken fragments.' (Ludwig Goldscheider, *Leonardo da Vinci*, Phaidon Press).
Is this yet another method of approach?

XVII

EUGÈNE DELACROIX
Journal

Il est donc beaucoup plus important pour l'artiste de se rapprocher de l'idéal qu'il porte en lui, et qui lui est particulier, que de laisser, même avec force,[1] l'idéal passager que peut présenter la nature, et elle présente de telles parties[2]; mais encore un coup,[3] c'est un tel homme qui les y voit, et non pas le commun des hommes, preuve que c'est son imagination qui fait le beau, justement parce qu'il suit son génie.

Ce travail d'idéalisation se fait même presque à mon insu chez moi, quand je recalque une composition sortie de mon cerveau. Cette seconde édition est toujours corrigée et plus rapprochée d'un idéal nécessaire; ainsi, il arrive ce qui semble une contradiction et qui explique cependant comment une exécution trop détaillée comme celle de Rubens, par exemple, peut ne pas[4] nuire à l'effet sur l'imagination. C'est sur un thème parfaitement idéalisé que cette exécution s'exerce; la surabondance des détails qui s'y glissent, par suite de l'imperfection de la mémoire, ne peut détruire cette simplicité bien autrement intéressante qui a été trouvée d'abord dans l'exposition de l'idée, et, comme nous venons de le voir à propos de Rubens, la franchise de l'exécution achève de racheter l'inconvénient de la prodigalité des détails.

EUGÈNE DELACROIX: Journal

(Published 1893–5, thirty years after his death.)

1. Analyse the attitude of the artist to his work. Distinguish carefully between (*a*) 'l'idéal qu'il porte en lui'; (*b*) 'l'idéal passager de la nature.'

[1] 'even forcefully expressed.' [2] 'she does present such aspects.' [3] 'once more.' [4] 'need not.'

2. What does Delacroix mean by (*a*) 'un idéal nécessaire'; (*b*) 'le travail d'idéalisation'?

3. Does 'idéalisation' necessarily imply elimination of detail? Distinguish clearly between two kinds of simplicity.

4. Consider Delacroix's style.

Are his sentences logical in construction and arrangement? Give examples.

Is his vocabulary abstract or concrete?

Is he a thinker as well as an artist? Are there any aspects of his style from which we can infer that he is primarily an artist seeking an explanation of his method of work?

XVIII

CHARLES BAUDELAIRE

Le Paysage

Si tel assemblage d'arbres, de montagnes, d'eaux et de maisons, que nous appelons un paysage, est beau, ce n'est pas par lui-même, mais par moi, par ma grâce propre,[1] par l'idée ou le sentiment que j'y attache. C'est dire suffisamment, je pense, que tout paysagiste qui ne sait pas traduire[2] un sentiment par[3] un assemblage de matière végétale ou minérale n'est pas un artiste. Je sais bien que l'imagination humaine peut, par un effort singulier, concevoir un instant la nature sans l'homme, et toute la masse suggestive éparpillée dans l'espace, sans un contemplateur pour[4] en extraire la comparaison, la métaphore et l'allégorie. Il est certain que tout cet ordre et toute cette harmonie n'en gardent pas moins[5] la qualité inspiratrice qui y est providentiellement déposée; mais, dans ce cas, faute d'une intelligence[6] de ce qu'elle pût inspirer, cette qualité serait comme si elle n'était pas. Les artistes qui veulent exprimer la nature, moins les sentiments qu'elle inspire, se soumettent à une opération bizarre qui consiste à tuer en eux l'homme[7] pensant et sentant, et malheureusement, croyez que, pour la plupart, cette opération n'a rien de bizarre ni de douloureux.

CHARLES BAUDELAIRE: *Salon de* 1859

1. State clearly the argument of the above passage.

2. Does beauty lie in nature itself or in the eye of the beholder?

3. What must the artist contribute himself?

4. Is it possible for us to think of landscape existing without our being there to see it?

---

[1] 'through the qualities I myself bestow upon it.' [2] 'interpret.' [3] 'by means of.' [4] 'able to.' [5] 'do retain none the less.' [6] 'understanding.' [7] 'that part of their nature which ...'

5. If so, would the quality of beauty still be found in nature?

6. What is the force of 'suggestive' in line 9.

7. What do some artists try to do?

8. What qualities does Baudelaire himself value in nature and art? Is there anything in his vocabulary to suggest that his own opinion of nature is not high?

9. Paul Nash says in his autobiography *Outline*: 'Yet, as I grew up and discovered new places and later began to record them in drawings and paintings, it was always the inner life of the subject rather than its characteristic lineaments which appealed to me, though that life, of course, is inseparable, actually, from its physical features. So that the secret of a place lies there for everyone to find, though, not perhaps, to understand.' (Paul Nash, *Outline*, Messrs. Faber & Faber, Ltd.)
Is this the same point of view as Baudelaire's?

XIX

I. ROMAIN ROLLAND
Foire sur la Place

II. ÉMILE SOUVESTRE
Le Sculpteur de la Forêt-Noire

I

— Vous êtes des hypocrites, finit par riposter Christophe. Pardonnez-moi de vous le dire. Je croyais jusqu'ici qu'il n'y avait que mon pays qui l'était. En Allemagne nous avons l'hypocrisie de parler toujours d'idéalisme, en poursuivant toujours notre intérêt; et nous nous persuadons que nous sommes idéalistes, en ne pensant qu'à notre égoïsme. Mais vous êtes bien pires: vous couvrez du nom d'Art et de Beauté (avec une majuscule) votre luxure nationale, — quand vous n'abritez point votre Pilatisme moral sous le nom de Vérité, de Science, de Devoir intellectuel, qui se lave les mains des conséquences possibles de ses recherches hautaines. L'art pour l'art! ... Une foi magnifique! Mais la foi seulement des forts. L'art! Étreindre la vie, comme l'aigle sa proie, et l'emporter dans l'air, s'élever avec elle dans l'espace serein! ... Pour cela, il faut des serres, de vastes ailes, et un cœur puissant. Mais vous n'êtes que des moineaux, qui, quand ils ont trouvé quelque morceau de charogne, le dépècent sur place et se le disputent en piaillant. ... L'art pour l'art! ... Malheureux! L'art n'est pas une vile pâture,[1] livrée aux vils passants. Une jouissance, certes, et de toutes la plus enivrante. Mais elle n'est le prix que d'une lutte acharnée, et son laurier couronne la victoire de la force. L'art est la vie domptée. L'empereur de la vie. Quand on veut être César, il faut en avoir l'âme. Vous n'êtes que des rois de théâtre: c'est un rôle que vous jouez,

---

[1] 'food.'

73

vous n'y croyez même pas. Et, comme ces acteurs, qui se font gloire de leurs difformités, vous faites de la littérature avec les vôtres. Vous cultivez amoureusement les maladies de votre peuple, sa peur de l'effort, son amour du plaisir, des idéologies sensuelles, de l'humanitarisme chimérique, de tout ce qui engourdit voluptueusement la volonté et peut lui enlever toutes ses raisons d'agir. Vous le menez droit aux fumeries d'opium. Et vous le savez bien; mais vous ne le dites point: la mort est au bout. — Eh bien, moi, je dis: Où est la mort, l'art n'est point. L'art, c'est ce qui fait vivre. Mais les plus honnêtes d'entre vos écrivains sont si lâches que, même quand le bandeau leur est tombé des yeux, ils affectent de ne pas voir; ils ont le front de dire:

— C'est dangereux, je l'avoue; il y a du poison là-dedans; mais c'est plein de talent!

Comme si, en correctionnelle,[1] le juge disait d'un apache.

— Il est un gredin, c'est vrai; mais il a tant de talent!

ROMAIN ROLLAND: *Jean Christophe*, 1905–12.
(Éditions Albin Michel.)

II

On se mit ensuite à table, et la conversation roula presque uniquement sur la peinture et la sculpture. Herman fut singulièrement étonné de ce qu'il entendit répéter à cet égard. Tous les convives se plaignaient de la décadence de l'art et du mauvais goût public, qui les forçait à suivre une fausse voie. Si les anciens avaient été si grands, et s'ils étaient, eux, si petits, c'était, disaient-ils, à la différence des temps que l'on devait s'en prendre. Maintenant le génie était incompris, le talent impossible! et tous répétaient en chœur, d'un ton mélancolique,

[1] 'court.'

en vidant leurs longs verres où moussait le champagne:

— L'art se meurt! l'art est mort!

Quant aux causes de cette décadence, les uns accusaient la civilisation, d'autres le gouvernement constitutionnel, quelques-uns les journaux.

— Il n'y a qu'eux-mêmes qu'ils n'accuseront point, dit le feuilletoniste[1] à demi-voix, en se penchant vers Herman; ils ne songent pas que le goût public se forme, après tout, sur ce qu'on lui donne, et que s'il est devenu mauvais ils doivent s'en prendre à eux seuls, puisque c'était à eux de l'éclairer et de le conduire. Vous croyez peut-être que tous ces beaux parleurs sont de fervents adorateurs de l'art; mais pas un d'eux ne voudrait être un Corrège à la condition de travailler et de mourir comme ce grand peintre. Ce qui tue l'art, c'est qu'on ne vit plus pour lui et avec lui; c'est que tous tant que nous sommes nous avons plus de vanité ou d'ambition que d'enthousiasme, et que nous ne cherchons point le beau, mais l'utile.

Après le dîner on rentra au salon, où le groupe d'Herman fut de nouveau examiné et loué; mais tous regrettèrent que le jeune sculpteur n'eût point choisi un sujet différent. Les enfants n'étaient plus à la mode; il y avait eu, dans ce genre, deux ou trois succès qui défendaient[2] de traiter de pareils sujets. Toute la faveur, pour le moment, était aux sujets moyen âge, et l'on conseilla à Herman de sculpter quelque scène empruntée aux vieilles ballades de son pays.

— Cela vous surprend, reprit le journaliste avec un sourire.

— En effet, dit Cloffer,[3] j'avais cru jusqu'à présent que ce qui donnait de la valeur à l'œuvre, c'était sa perfection.

— C'est une idée de la Forêt-Noire, mon cher maister; ici nous sommes plus avancés. Ce qui donne de la valeur à

_____
[1] 'writer of serial stories.' [2] Meaning of 'défendre'? [3] i.e. Herman.

75

l'œuvre, ce n'est point son mérite, mais son opportunité. Il y a dix ans qu'un artiste a fait sa réputation en peignant un petit chapeau sur un rocher en forme de fromage: le tableau était ridicule, mais répondait aux préoccupations du jour, et nous n'en demandons point davantage.

— Ainsi ce n'est point son art qu'il faut étudier, c'est le caprice du public?

— Comme vous dites, maister. Les peintres, les sculpteurs, les écrivains, ne sont que des marchands de nouveautés: si la mode prend, leur fortune est faite; sinon, ils en essayent une nouvelle.

— Ah! ce n'était point là ce que j'avais compris, murmura Herman.

Et il retourna à son hôtel découragé.

ÉMILE SOUVESTRE: *Au Coin du Feu*, 1851

1. What sort of audience is Christophe addressing? In what type of society does Herman find himself?

2. Why are both Christophe and Herman disillusioned?

3. What is meant by 'Pilatisme moral' in extract I?

4. Why should 'l'art pour l'art', according to Christophe, be a doctrine for the strong and not for the weak? What pleasure and what pain does art involve? What harm is done in the name of art?

5. Why are Christophe's audience and Herman's companions incapable of realising the significance of art?

6. What makes Rolland's style so vivid? How does he convey his own sincerity? Distinguish between satire and wrath. Which do you find here, and why?

7. Contrast the style of Souvestre. Give reasons for the different impression made by each extract.

XX

GUY DE MAUPASSANT
Préface à Pierre et Jean

Ne nous fâchons donc contre aucune théorie puisque chacune d'elles est simplement l'expression généralisée d'un tempérament qui s'analyse.

Il en est deux surtout qu'on a souvent discutées en les opposant l'une à l'autre au lieu de les admettre l'une et l'autre: celle du roman d'analyse pure et celle du roman objectif. Les partisans de l'analyse demandent que l'écrivain s'attache à indiquer les moindres évolutions d'un esprit et tous les mobiles[1] les plus secrets qui déterminent nos actions, en n'accordant au fait lui-même qu'une importance très secondaire. Il est le point d'arrivée, une simple borne, le prétexte du roman. Il faudrait donc, d'après eux, écrire ces œuvres précises et rêvées[2] où l'imagination se confond avec l'observation, à la manière d'un philosophe composant un livre de psychologie, exposer les causes en les prenant aux origines les plus lointaines, dire tous les pourquoi de tous les vouloirs et discerner toutes les réactions de l'âme agissant sous l'impulsion des intérêts, des passions ou des instincts.

Les partisans de l'objectivité (quel vilain mot!) prétendent,[3] au contraire, nous donner la représentation exacte de ce qui a lieu dans la vie, évitent avec soin toute explication compliquée, toute dissertation sur les motifs, et se bornent à faire passer sous nos yeux les personnages et les événements.

Pour eux, la psychologie doit être cachée dans le livre comme elle est cachée en réalité sous les faits dans l'existence.

Le roman conçu de cette manière y gagne de l'intérêt, du mouvement dans le récit, de la couleur, de la vie remuante.

Donc, au lieu d'expliquer longuement l'état d'esprit d'un

[1] 'motives.'   [2] 'which have both exactness and vision.'   [3] 'maintain.'

personnage, les écrivains objectifs cherchent l'action ou le geste que cet état d'âme doit faire accomplir fatalement[1] à cet homme dans une situation déterminée.[2] Et ils le font se conduire de telle manière, d'un bout à l'autre du volume, que tous ses actes, tous ses mouvements, soient le reflet de sa nature intime, de toutes ses pensées, de toutes ses volontés ou de toutes ses hésitations. Ils cachent donc la psychologie au lieu de l'étaler, ils en font la carcasse de l'œuvre, comme l'ossature invisible est la carcasse du corps humain. Le peintre qui fait notre portrait ne montre pas notre squelette.

Il me semble aussi que le roman exécuté de cette façon y gagne en sincérité. Il est d'abord plus vraisemblable, car les gens que nous voyons agir autour de nous ne nous racontent point les mobiles auxquels ils obéissent.

GUY DE MAUPASSANT: *Préface à Pierre et Jean*, 1888

1. Why should every theory be regarded with tolerance?
2. What is of primary and what of secondary importance in the analytical novel? Translate 'Il est le point d'arrivée ... roman.'
3. What has the novelist in common with (*a*) the philosopher, (*b*) the psychologist?
4. Why do those who uphold an objective attitude avoid complicated explanations or an examination of motives?
5. Is imaginative insight as necessary in the objective novelist as it is in the novelist who prefers the psychological approach?
6. Do you agree that the objective novel is the more sincere? Maupassant states the advantages of the objective novel, but what advantage, in interpreting life, does the psychological novel possess?
7. Give an example, either in French or English, of an objective novel and of a psychological novel.

[1] 'inevitably.'　[2] 'given.'

XXI

HIPPOLYTE TAINE

Histoire de la Littérature Anglaise

Il y a pourtant un troisième ordre de causes[1]; car avec les forces du dedans et du dehors, il y a l'œuvre qu'elles ont déjà faite ensemble, et cette œuvre elle-même contribue à produire celle qui suit; outre l'impulsion permanente et le milieu donné, il y a la vitesse acquise. Quand le caractère national et les circonstances environnantes opèrent, ils n'opèrent point sur une table rase,[2] mais une table où des empreintes sont déjà marquées. Selon qu'on prend la table à un *moment* ou à un autre, l'empreinte est différente; et cela suffit pour que l'effet total soit différent. Considérez, par exemple, deux moments d'une littérature ou d'un art, la tragédie française sous Corneille et sous Voltaire, le théâtre grec sous Eschyle[3] et sous Euripide,[4] la poésie latine sous Lucrèce[5] et sous Claudien,[6] la peinture italienne sous Vinci[7] et sous le Guide.[8] Certainement, à chacun de ces deux points extrêmes, la conception générale n'a pas changé; c'est toujours le même type humain qu'il s'agit de représenter ou de peindre; le moule du vers, la structure du drame, l'espèce des corps ont persisté. Mais entre autres différences, il y a celle-ci, qu'un des artistes est le précurseur, et que l'autre est le successeur, que le premier n'a pas de modèle, et que le second a un modèle, que le premier voit les choses face à face, et que le second voit les choses par l'intermédiaire du premier, que plusieurs grandes parties[9] de l'art se sont perfectionnées, que la simplicité et la grandeur de

---

[1] Taine deals with 'les trois forces primordiales, la race, le milieu (i.e. environment), le moment'. [2] tabula rasa, erased tablet; fig. the human mind at birth viewed as having no innate ideas; (O.E.D.) 'blank page.' [3] Æschylus, 525–456 B.C. [4] Euripides, 480–406 B.C. [5] Lucretius, 95–53 B.C. [6] Claudian, died c. 408. [7] Leonardo da Vinci, 1452–1519. [8] Guido Reni, 1575–1642. [9] 'branches.'

79

l'impression ont diminué, que l'agrément[1] et le raffinement de la forme se sont accrus, bref que la première œuvre a déterminé la seconde.

HIPPOLYTE TAINE: *Histoire de la Littérature Anglaise*, 1863.

1. State briefly Taine's argument.

2. Comment on his thought.

 (*a*) Give examples of works of art or literature influenced by (i) 'le caractère national'; (ii) 'les circonstances environnantes'; (iii) 'le moment'.

 (*b*) Explain with examples: 'C'est toujours le même type humain qu'il s'agit de représenter ou de peindre.'

 (*c*) Would you include 'le moule du vers, la structure du drame' among those things which do not change?

 (*d*) Do you think that the simplicity and grandeur of the artist's vision is necessarily lost because he belongs to a later civilization?

 (*e*) Consider in general, progress in connection with literature, as compared with progress in science. Robert Bridges, in 'The Testament of Beauty', says:

> 'Knowledge accumulateth slowly and not in vain;
> with new attainment new orders of beauty arise,
> in thought and art new values; but man's faculties
> were gifted once for all and stand, 'twould seem, at stay:
> ther is now no higher intellect to brighten the world
> than little Hellas own'd; nay scarcely here and there
> liveth a man among us to rival their seers.'

Pascal distinguishes between two kinds of knowledge, the 'esprit de geometrie' and the 'esprit de finesse': 'En l'un, les principes sont palpables, mais éloignés de l'usage commun; de sorte qu'on a peine à tourner la tête de ce côté-là, manque

[1] 'elegance.'

80

d'habitude: mais pour peu qu'on s'y tourne, on voit les principes à plein; et il faudroit avoir tout-à-fait l'esprit faux pour mal raisonner sur des principes si gros, qu'il est presque impossible qu'ils échappent.

Mais dans l'esprit de finesse, les principes sont dans l'usage commun et devant les yeux de tout le monde. On n'a que faire de tourner la tête, ni de se faire violence. Il n'est question que d'avoir bonne vue; mais il faut l'avoir bonne, car les principes en sont si déliés et en si grand nombre, qu'il est presque impossible qu'il n'en échappe.'

3. Comment on Taine's style. Contrast with the style of Descartes. Note how the rhythm is more jerky. Study the ends of his sentences, his use of monosyllables and of harsh consonants. Does he give the impression that he has just made a discovery? Is he ready to deal with argument and contradiction? Is there a note of urgency which is absent in Descartes? Suggest reasons for the difference in style.

XXII

FUSTEL DE COULANGES

Recherches sur quelques Problèmes d'Histoire

Mais comment lire les auteurs latins? Beaucoup, lorsqu'ils lisent Tite-Live, retranchent[1] par la pensée tout ce qui touche à la religion, tout ce qui a trait à la superstition romaine. L'historien met-il dans la bouche d'un personnage que les aust pices sont propices ou qu'ils sont contraires, que les dieux son. irrités ou apaisés, que des prodiges annoncent revers ou succès, cela semble un artifice de rhéteur, et l'on passe. Ce procédé est d'une mauvaise méthode. Si Tite-Live donne tant de place aux croyances et aux superstitions romaines, nous devons croire, jusqu'à preuve du contraire, que ces croyances étaient réelles et ces superstitions toutes-puissantes dans l'esprit des Romains.

Il faut prendre à la lettre les textes anciens, le plus qu'il est possible. Si Tite-Live raconte le miracle de l'augure Névius, nous sommes tenus de croire, non pas que le miracle a été opéré, mais que les contemporains et toutes les générations suivantes ont cru à ce miracle, et c'est là un fait historique de grande conséquence.

Lorsque ailleurs Tite-Live fait dire à[2] un général romain, en un long discours, que les dieux sont irrités contre un ennemi qui a négligé ou violé une loi religieuse, ne disons pas que Tite-Live a imaginé ce discours pour embellir un récit et faire briller son talent d'orateur; nous devons croire, sauf preuve du contraire, que dans ce discours il a reproduit les pensées qui étaient ordinaires au temps dont il parle, et qu'en cela encore il fait œuvre d'historien exact.

Ce qu'on a appelé l'esprit critique, depuis cent cinquante ans, a été trop souvent une habitude de juger les faits anciens au point de vue de la probabilité, c'est-à-dire au point de vue

[1] 'reject.'   [2] Note the construction.

de leur concordance avec ce que nous jugions possible ou vraisemblable.[1] Conçu de cette façon, l'esprit critique n'était guère autre chose que le point de vue personnel et moderne substitué à la vue réelle du passé. On a ainsi appliqué à l'histoire la méthode qui convient à la philosophie; on a jugé d'après la conscience et la logique des choses qui ne s'étaient faites ni suivant la logique absolue, ni suivant les habitudes de la conscience moderne.

L'esprit critique, appliqué à l'histoire, consiste au contraire à laisser de côté la logique absolue et les conceptions intellectuelles du présent; il consiste à prendre les textes tels qu'ils ont été écrits, au sens propre et littéral, à les interpréter le plus simplement qu'il est possible, à les admettre naïvement, sans y rien mêler du nôtre. Le fond de l'esprit critique, quand il s'agit de l'histoire du passé, est de croire les anciens.

Quand je lis les travaux des modernes sur l'antiquité, mon premier mouvement, je l'avoue, est de douter, parce que je reconnais trop souvent des pensées toutes modernes. Mais quand je lis les anciens, mon premier mouvement est de croire, et je les crois d'autant plus[2] que leurs idées sont plus éloignées des miennes.

Je les crois surtout en ce point-ci: lorsque Tite-Live, parlant de temps très éloignés de lui, raconte des faits qui ont dû lui paraître fort éloignés de la vraisemblance, et lorsqu'il exprime des pensées que ni lui-même, ni ses contemporains n'ont pu trouver dans leur esprit, je suis porté à conclure que Tite-Live ne fait là que reproduire de plus vieilles annales, des documents des vieux âges, et je crois d'autant plus à Tite-Live que je reconnais moins Tite-Live.

FUSTEL DE COULANGES: *Recherches sur quelques Problèmes d'Histoire*, 1885

[1] 'probable.' [2] 'all the more.'

1. Analyse the thought of Fustel de Coulanges, explaining clearly (*a*) 'On a ainsi appliqué à l'histoire la méthode qui convient à la philosophie'. How do the two methods differ? What is meant by 'la logique absolue'? (*b*) 'Je crois d'autant plus à Tite-Live que je reconnais moins Tite-Live'.

2. What is he especially interested in, as an historian himself? He has said elsewhere: 'L'histoire n'étudie pas seulement les faits matériels et les institutions; son véritable objet d'étude est l'âme humaine; elle doit aspirer à connaître ce que cette âme a cru, a pensé, a senti aux différents âges de la vie du genre humain.' Is this compatible with his objective and scientific attitude towards texts?

3. Is it possible, do you think, to interpret a text 'sans y rien mêler du nôtre'? To what extent must Fustel de Coulanges himself rely on his own judgment and powers of discrimination in the conclusions he draws from his reading of Livy?

4. How does he drive his point home? Discuss the construction and length of his sentences. Does he rely on eloquence or on plain statement? By means of definite examples, show how he is authoritative without being dogmatic.

XXIII

i. CHARLES PÉGUY
Paris Vaisseau de Charge

ii. MAURICE MAGRE
Paris

I

Double vaisseau de charge aux deux rives de Seine,
Vaisseau de pourpre et d'or, de myrrhe et de cinname,
Vaisseau de blé, de seigle, et de justesse d'âme,
D'humilité, d'orgueil, et de simple[1] verveine;[2]

Nos pères t'ont comblé[3] d'une si longue peine,
Depuis mille et mille ans que tu viens à la lame,
Que[4] nulle cargaison n'est si lourde à la rame,
Et que nul bâtiment[5] n'a la panse aussi pleine.

Mais nous apporterons un regret si sévère,
Et si nourri d'honneur, et si creusé de flamme,
Que le chef le prendra pour un sac de prière,

Et le fera hisser jusque sous l'oriflamme,[6]
Navire appareillé sous Septime Sévère,[7]
Double vaisseau de charge aux pieds de Notre-Dame.

CHARLES PÉGUY: *La Tapisserie de Notre-Dame*, 1913

(Librairie N.R.F. Gallimard.)

[1] 'lowly.' [2] 'verbena,' used by the Greeks and Romans in sacrificial rites, and as a symbol to bring good fortune. [3] combler = to fill, overload. [4] 'so that.' [5] 'vessel.' [6] 'oriflamme,' sacred banner of Saint Denis. [7] Septimius Severus, Roman Emperor, A.D. 193–211.

II

Le soleil teint de sang le front des monuments
Et met une pensée dans le regard des femmes.
Il passe dans le soir un long frémissement
Des vieux balcons du Louvre aux tours de Notre-Dame.

Le vaste ciel est plein de la voix des vivants;
Le chant d'un musicien frémit, traîne et s'achève;
Les rues semblent mourir mystérieusement;
Un homme est accoudé sur un pont: Paris rêve...

    .   .   .   .   .

— Puis le silence glisse au bord des monuments
Et dans les carrefours fait des signes étranges;
Il endort les humains, il berce les amants
Et dans les vitraux bleus ferme les yeux des anges.

De vieux mendiants qui vont en regardant le ciel
Ont des airs de dément et des yeux de prophète;
La mort chemine avec son grand geste éternel,
La pitié meurt au seuil des églises muettes;

Un fiévreux voit le Christ passer dans l'hôpital,
Revêtu d'un suaire, aux clartés des veilleuses[1];
Un poète, songeant au village natal,
Meurt tout seul, sans amour et sans feu: Paris pleure...

    .   .   .   .   .

Sois maudite, ô cité! Tes jours sont révolus!
J'ai lu ta destinée dans le feu des planètes;
Il a passé sur toi un grand vent inconnu
Venant du fond des cieux et du fond de la terre.

[1] 'night-lights.'

86

Et les statues des rois, des vierges et des dieux
Se sont tordues de peur ainsi que des démentes;
Tes lampes se sont agrandies comme des yeux,
Les portes des lieux saints ont crié d'épouvante...

— Et tu sembles, avec tes longs clochers de pierre,
Tels les mâts d'un vaisseau par la brume grandis,
Dans le flot éternel des sillons de la terre,
Un grand navire errant ou comme un incendie,

Qui vogue seul, la nuit, avec toutes ses voiles,
Sans boussole[1] et sans matelot au gouvernail,
Dans un lieu dangereux, par un soir plein d'étoiles,
Sans capitaine, sans drapeaux et sans fanal,[2]

Et porte sous ses ponts une grande plaie rouge,
Le feu mystérieux qui marche, qui grandit,
Qui consume les cargaisons, gagne les poudres
Et va faire sauter le navire, ô Paris!

MAURICE MAGRE: *Le Poème de la Jeunesse*, 1901
(Eugène Fasquelle.)

1. How is Péguy's love for Paris revealed? and Magre's fear and hatred? Point out in detail how Péguy's metaphor and Magre's simile are used to suggest different ideas. What is symbolized by purple and gold, cinnamon and myrrh? Why does Péguy describe the cargo boat as 'double'? Suggest a translation.

2. Does Magre express any regret at the fate he foresees for Paris? Suggest reasons for their difference in attitude.

[1] 'compass.'   [2] 'light.'

3. How does Péguy, through his style, convey an atmosphere of peace and beauty, and Magre one of disruption? Is there a change of tone in Magre's poem or is it the same thoughout? Consider each poet's use of rime, repetition, alliteration and the position of the cæsura. Scan lines 34, 36 and 39 in Magre's poem.

4. Contrast the last line of each poem from the point of view of both thought and style. How does each reflect the outlook of the author? Notice how Péguy's last line is more expressive than his first.

XXIV

I. NICOLAS BOILEAU-DESPRÉAUX
Premières Satires

II. CHARLES-AUGUSTIN DE SAINTE-BEUVE
Vie, Poésies et Pensées de Joseph Delorme

I

Un esprit né sans fard, sans basse complaisance,
Fuit ce ton radouci que prend la médisance.[1]
Mais de blâmer des vers ou durs ou languissants,
De choquer un auteur qui choque le bon sens,
De railler un plaisant qui ne sait pas nous plaire,
C'est ce que tout lecteur eut toujours droit de faire.
Tous les jours, à la cour, un sot de qualité
Peut juger de travers avec impunité;
A Malherbe,[2] à Racan,[2] préférer Théophile,[2]
Et le clinquant du Tasse à tout l'or de Virgile ...
    Il n'est valet d'auteur,[3] ni copiste, à Paris,
Qui, la balance en main, ne pèse les écrits.
Dès que l'impression[4] fait éclore un poëte,
Il est esclave-né de quiconque l'achète:
Il se soumet lui-même aux caprices d'autrui,
Et ses écrits tout seuls doivent parler pour lui.
Un auteur à genoux, dans une humble préface,
Au lecteur qu'il ennuie a beau demander grâce;
Il ne gagnera rien sur ce juge irrité.
Qui lui fait son procès, de pleine autorité.
    Et je serai le seul qui ne pourrai rien dire!
On sera ridicule, et je n'oserai rire? ...
'Il a tort,' dira l'un; 'pourquoi faut-il qu'il nomme?'

---

[1] 'slander.'   [2] Seventeenth-century poets.   [3] 'hack writer.'
[4] 'printing.'

Attaquer Chapelain![1] ah! c'est un si bon homme!
Balzac[2] en fait l'éloge en cent endroits divers.
Il est vrai, s'il m'eût cru, qu'il n'eût point fait de vers.
Il se tue à rimer: que[3] n'écrit-il en prose?'
Voilà ce que l'on dit. — Et que dis-je autre chose?
En blâmant ses écrits, ai-je d'un style affreux
Distillé sur sa vie un venin dangereux?
Ma Muse, en l'attaquant, charitable et discrète,
Sait de l'homme d'honneur distinguer le poëte.
Qu'[4]on vante en lui la foi, l'honneur, la probité;
Qu'on prise[5] sa candeur et sa civilité;
Qu'il soit doux, complaisant, officieux,[6] sincère:
On le veut, j'y souscris, et suis prêt à me taire.
Mais que pour un modèle on montre ses écrits;
Qu'il soit le mieux renté de tous les beaux esprits;
Comme roi des auteurs, qu'on l'élève à l'empire,
Ma bile alors s'échauffe, et je brûle d'écrire.

NICOLAS BOILEAU-DESPRÉAUX: *Premières Satires*, 1666

II

L'esprit critique est de sa nature facile, insinuant, mobile et
compréhensif. C'est une grande et limpide rivière qui serpente
et qui se déroule autour des œuvres et des monuments[7] de la
poésie, comme autour des rochers, des forteresses, des
coteaux tapissés de vignobles et des vallées touffues qui
bordent ses rives. Tandis que chacun des objets du paysage
reste fixe en son lieu et s'inquiète peu des autres, que la tour
féodale dédaigne le vallon et que le vallon ignore[8] le coteau,
la rivière va de l'un à l'autre, les baigne sans les déchirer, les

---

[1] Seventeenth-century poet. [2] Guez de Balzac, seventeenth-century prose
writer. [3] 'Why.' [4] 'Let. ...' [5] infinitive? [6] 'obliging.' [7] 'landmarks,'
[8] 'is unaware of.'

embrasse d'une eau vive et courante, les *comprend*,[1] les réfléchit, et lorsque le voyageur est curieux de connaître et de visiter ces sites variés, elle le prend dans une barque, elle le porte sans secousse et lui développe successivement tout le spectacle changeant de son cours.

CHARLES-AUGUSTIN DE SAINTE-BEUVE:
Vie, Poésies et Pensées de Joseph Delorme, 1829

Boileau belongs to the seventeenth century, Sainte-Beuve to the nineteenth. Both are famous critics. How does the nature and aim of their criticism differ? Can you give reasons for this difference? Sainte-Beuve's style is persuasive, Boileau's incisive. Why should this be so? Comment in detail on their thought and style.

[1] 'embraces.'

XXV

HENRI BERGSON
Le Rire

Quel est l'objet de l'art? Si la réalité venait frapper directe-
ment nos sens et notre conscience, si nous pouvions entrer en
communication immédiate avec les choses et avec nous-
mêmes, je crois bien que l'art serait inutile, ou plutôt que nous
serions tous artistes, car notre âme vibrerait alors continuelle-
ment à l'unisson de la nature. Nos yeux aidés de notre
mémoire découperaient dans l'espace et fixeraient dans le
temps des tableaux inimitables. Notre regard saisirait au
passage, sculptés dans le marbre vivant du corps humain, des
fragments de statue aussi beaux que ceux de la statuaire
antique. Nous entendrions chanter au fond de nos âmes,
comme une musique quelquefois gaie, plus souvent plaintive,
toujours originale, la mélodie ininterrompue de notre vie
intérieure. Tout cela est autour de nous, tout cela est en nous,
et pourtant rien de tout cela n'est perçu par nous distinctement.
Entre la nature et nous, que dis-je?[1] entre nous et notre
propre conscience,[2] un voile s'interpose, voile épais pour le
commun des hommes, voile léger, presque transparent, pour
l'artiste et le poète. Quelle fée a tissé ce voile? Fut-ce par
malice ou par amitié? Il fallait vivre, et la vie exige que nous
appréhendions les choses dans le rapport qu'elles ont à nos
besoins. Vivre consiste à agir. Vivre, c'est n'accepter des
objets que l'impression utile pour y répondre par des réactions
appropriées: les autres impressions doivent s'obscurcir ou ne
nous arriver que confusément. Je regarde et je crois voir,
j'écoute et je crois entendre, je m'étudie et je crois lire dans
le fond de mon cœur. Mais ce que je vois et ce que j'entends
du monde extérieur, c'est simplement ce que mes sens en

[1] 'or rather.' [2] 'consciousness,' 'awareness.'

extraient pour éclairer ma conduite: ce que je connais de moi-même, c'est ce qui affleure à la surface, ce qui prend part à l'action. Mes sens et ma conscience ne me livrent donc de la réalité qu'une simplification pratique. Dans la vision qu'ils me donnent des choses et de moi-même, les différences inutiles à l'homme sont effacées, les ressemblances utiles à l'homme sont accentuées, des routes me sont tracées à l'avance où mon action s'engagera. Ces routes sont celles où l'humanité entière a passé avant moi. Les choses ont été classées en vue du parti que j'en pourrai tirer. Et c'est cette classification que j'aperçois, beaucoup plus que la couleur et la forme des choses ...

Enfin, pour tout dire, nous ne voyons pas les choses mêmes; nous nous bornons, le plus souvent, à lire des étiquettes[1] collées sur elles. Cette tendance, issue du besoin, s'est encore accentuée sous l'influence du langage. Car les mots (à l'exception des noms propres) désignent tous des genres.[2] Le mot, qui ne note de la chose que sa fonction la plus commune et son aspect banal, s'insinue entre elle et nous, et en masquerait la forme à nos yeux si cette forme ne se dissimulait déjà derrière les besoins qui ont créé le mot lui-même. Et ce ne sont pas seulement les objets extérieurs, ce sont aussi nos propres états d'âme qui se dérobent à nous dans ce qu'ils ont[3] d'intime, de personnel, d'originalement vécu. Quand nous éprouvons de l'amour ou de la haine, quand nous nous sentons joyeux ou tristes, est-ce bien notre sentiment lui-même qui arrive à notre conscience avec les mille nuances fugitives et les mille résonances profondes qui en font quelque chose d'absolument nôtre? Nous serions alors tous romanciers, tous poètes, tous musiciens. Mais, le plus souvent, nous n'apercevons de notre état d'âme que son déploiement extérieur. Nous ne saisissons de nos sentiments que leur aspect

[1] 'labels.'   [2] 'classes of things.'   [3] 'in those aspects which are ...'

impersonnel, celui que le langage a pu noter une fois pour toutes parce qu'il est à peu près le même, dans les mêmes conditions, pour tous les hommes. Ainsi, jusque dans notre propre individu, l'individualité nous échappe.

HENRI BERGSON: *Le Rire*, 1884
(Presses Universitaires de France.)

State clearly and concisely the argument of this passage.

III
STUDIES OF CHARACTER

XXVI

STENDHAL

La Chartreuse de Parme

La duchesse Sanseverina peut entrer, cria le prince d'un
air théâtral. Les larmes vont commencer, se dit-il, et,
comme pour se préparer à un tel spectacle, il tira son
mouchoir.

Jamais la duchesse n'avait été aussi leste et aussi jolie; elle
n'avait pas vingt-cinq ans. En voyant son petit pas léger et
rapide effleurer à peine le tapis, le pauvre aide de camp fut
sur le point de perdre tout à fait la raison.

— J'ai bien des pardons à demander à Votre Altesse
Sérénissime, dit la duchesse de sa petite voix légère et gaie;
j'ai pris la liberté de me présenter devant elle[1] avec un habit qui
n'est pas précisément convenable,[2] mais Votre Altesse m'a
tellement accoutumée à ses bontés que j'ai osé espérer qu'elle
voudrait bien m'accorder encore cette grâce.

La duchesse parlait assez lentement, afin de se donner le
temps de jouir de[3] la figure du prince; elle était délicieuse à
cause de l'étonnement profond et du reste de grands airs[4] que
la position de la tête et des bras accusait encore. Le prince était
resté comme frappé de la foudre; de sa petite voix aigre et
troublée il s'écriait de temps à autre, en articulant à peine:
Comment! comment! La duchesse, comme par respect, après
avoir fini son compliment, lui laissa tout le temps de répondre;
puis elle ajouta:

— J'ose espérer que Votre Altesse Sérénissime daigne me
pardonner l'incongruité de mon costume; mais, en parlant
ainsi, ses yeux moqueurs brillaient d'un si vif éclat, que le

---

[1] Remember that 'altesse' is feminine.   [2] 'conventional.' We are told that
'la duchesse prit à la hâte un habit de voyage.'   [3] 'enjoy the spectacle of ...'
[4] 'traces of the grand manner.'

prince ne put le supporter; il regarda au plafond, ce qui chez lui était le dernier signe du plus extrême embarras.

— *Comment! comment!* dit-il encore; puis il eut le bonheur de trouver une phrase: — Madame la duchesse, asseyez-vous donc; il avança lui-même un fauteuil, et avec assez de grâce. La duchesse ne fut point insensible à cette politesse; elle modéra la pétulance de son regard.

— *Comment! comment!* répéta encore le prince en s'agitant dans son fauteuil, sur lequel on eût dit qu'il ne pouvait trouver de position solide.

— Je vais profiter de la fraîcheur de la nuit pour courir la poste,[1] reprit la duchesse, et, comme mon absence peut être de quelque durée, je n'ai point voulu sortir des États de Son Altesse Sérénissime sans la remercier de toutes les bontés que, depuis cinq années, elle a daigné avoir pour moi. A ces mots le prince comprit enfin; il devint pâle: c'était l'homme du monde[2] qui souffrait le plus de se voir trompé dans ses prévisions; puis il prit un air de grandeur tout à fait digne du portrait de Louis XIV qui était sous ses yeux. A la bonne heure, se dit la duchesse, voilà un homme.

— Et quel est le motif de ce départ subit? dit le prince d'un ton assez ferme.

— J'avais ce projet depuis longtemps, répondit la duchesse, et une petite insulte que l'on fait à *monsignor* del Dongo que demain l'on va condamner à mort ou aux galères, me fait hâter mon départ.

— Et dans quelle ville allez-vous?

— A Naples, je pense. Elle ajouta en se levant: Il ne me reste plus qu'à prendre congé de Votre Altesse Sérénissime et à la remercier très-humblement de ses *anciennes* bontés. A son tour, elle parlait d'un air si ferme, que le prince vit bien

[1] 'travel post haste.'   [2] 'the one man in the world who ...'

que dans deux secondes tout serait fini; l'éclat du départ ayant eu lieu, il savait que tout arrangement était impossible; elle n'était pas femme à revenir sur ses démarches. Il courut après elle.

— Mais vous savez bien, madame la duchesse, lui dit-il en lui prenant la main, que toujours je vous ai aimée, et d'une amitié à laquelle il ne tenait qu'à vous de donner un autre nom. Un meurtre a été commis. C'est ce qu'on ne saurait nier; j'ai confié l'instruction du procès[1] à mes meilleurs juges ...

A ces mots la duchesse se releva de toute sa hauteur; toute apparence de respect et même d'urbanité disparut en un clin d'œil; la femme outragée parut clairement et la femme outragée s'adressant à un être qu'elle sait de mauvaise foi. Ce fut avec l'expression de la colère la plus vive et même du mépris qu'elle dit au prince en pesant sur tous les mots:

— Je quitte à jamais les États de Votre Altesse Sérénissime pour ne jamais entendre parler du fiscal Rassi et des autres infâmes assassins qui ont condamné à mort mon neveu et tant d'autres.

STENDHAL: *La Chartreuse de Parme*, 1839

Show how our knowledge of the characters of the duchess and the prince may be derived from:

1. Physical appearance. Is this given in detail? Is the author interested in appearance except in so far as it indicates character?

2. The subject-matter and style of what each character says. Why does the duchess not come to the point immediately? Is what she says in her first three speeches of itself important? Contrast the style of her speeches with the brevity of the prince's replies. Give reasons for the contrast. Which of the

---

[1] 'sifting of the evidence.'

two is the more in command of the situation? How far are we prepared for the duchess's outburst in the second half of the extract?

3. The effect of the duchess's words on the prince and of his words on her.

4. What they think of each other.

5. The author's own explanation and comment. Do these interfere with our own inferences? Do you think Stendhal's method is suited to the portrayal of the clash of one personality on another?

XXVII

I. AUGUSTE BAILLY
Richelieu

II. LE CARDINAL DE RETZ
Mémoires

I

Grand, et d'une taille que sa maigreur faisait paraître plus
élevée encore, avec la finesse nerveuse de ses longues mains
dont Philippe de Champagne[1] s'est plu à traduire la vie
frémissante, le Cardinal s'imposait à tous par un prestige
extrêmement complexe; il dominait, et ce lourd regard chargé
de pensées pesait sur les âmes, les désarmait,[2] les asservissait.
'Je vous jure, écrivait Malherbe,[3] qu'il y a, dans cet homme,
quelque chose qui excède l'humanité, et que si notre vaisseau
doit jamais vaincre la tempête, ce sera tandis que cette glorieuse
main en tiendra le gouvernail.'

Ces lignes nous donnent bien le sentiment de cet ascendant,
ou, si l'on veut, de ce magnétisme humain auquel personne ne
se dérobait, et dont Marie de Médicis[4] et sa confidente avouaient
avec effroi le charme mystérieux. On ne pouvait lui échapper,
car sa hauteur intimidait les plus orgueilleux, mais sa grâce
savait enchaîner les plus farouches. Nous avons tous, et jusqu'aux plus forts d'entre nous, une telle conscience[5] de notre
réelle faiblesse, que le rayonnement d'une âme vraiment
grande, supérieure à la commune mesure, nous remplit d'un
étonnement où il entre de la crainte et de l'admiration. Que[6]
l'une ou l'autre domine, et c'est en nous l'amour ou la haine,
une haine qui est le plus éclatant aveu de notre infériorité.

---

[1] Seventeenth-century artist.   [2] 'took away their defences.'   [3] Poet (1555–
1628).   [4] Regent after the death of her husband Henry IV.   [5] 'awareness.'
[6] 'Let ...'

Qu'on examine l'état d'esprit de tous ceux qui approchaient Richelieu, et l'on y reconnaîtra les traits que nous indiquons. Sa maigreur, sa pâleur, l'éclat de son regard, l'expression parfois douloureuse des traits creusés par des souffrances physiques perpétuelles, tous ces stigmates[1] de la faiblesse corporelle ajoutaient à l'impression d'héroïsme que l'on recevait de lui: on savait que, depuis l'enfance, des fièvres obstinées, périodiquement renaissantes, ébranlaient et brûlaient cette fine architecture humaine; on savait que de fréquents maux de tête martelaient son crâne et ses tempes ... mais on savait aussi qu'il donnait au travail tout le temps que ses douleurs physiques dérobaient à son sommeil, et qu'aucune des tortures de sa chair malade ne trouvait accès dans cette âme intangible.

AUGUSTE BAILLY: *Richelieu*, 1934
(Librairie Arthème Fayard.)

II

Il étoit homme de parole où un grand intérêt ne l'obligeoit pas au contraire, et, en ce cas, il n'oublioit rien pour sauver les apparences de la bonne foi. Il n'étoit pas libéral, mais il donnoit plus qu'il ne promettoit, et il assaisonnoit[2] admirablement les bienfaits. Il aimoit la gloire beaucoup plus que la morale ne le permet; mais il faut avouer qu'il n'abusoit[3] qu'à proportion de son mérite[4] de la dispense qu'il avoit prise sur ce point de[5] l'excès de son ambition. Il n'avoit ni l'esprit ni le cœur au dessus des périls, il n'avoit ni l'un ni l'autre au dessous: et l'on peut dire qu'il en prévint[6] davantage par sa sagacité, qu'il n'en surmonta par sa fermeté. Il étoit bon ami; il eût

---

[1] 'marks.'   [2] 'seasoned with compliments.'   [3] 'took advantage of.'   [4] Insert a comma. Remember that the construction is 'abuser de quelquechose'.   [5] 'concerning.'   [6] 'prevented.'

même souhaité d'être aimé du peuple; mais quoiqu'il eût de la civilité, l'extérieur[1] et beaucoup d'autres parties propres à cet effet,[2] il n'eut jamais le je ne sais quoi, qui est encore en cette matière plus requis qu'en toute autre. Il anéantissoit par son pouvoir et par son faste[3] royal, la majesté personnelle du roi: mais il remplissoit avec tant de dignité les fonctions de la royauté, qu'il falloit n'être pas du vulgaire[4] pour ne pas confondre le bien et le mal en ce fait. Il distinguait plus judicieusement qu'homme du monde[5] entre le mal et le pis, entre le bien et le mieux, ce qui est une grande qualité pour un ministre. Il s'impatientoit trop facilement dans les petites choses qui étoient préalables[6] des grandes; mais ce défaut, qui vient de la sublimité de l'esprit, est toujours joint à des lumières qui le suppléent. Il avoit assez de religion pour ce monde. Il alloit au bien, ou par inclination, ou par bon sens, toutefois que son intérêt ne le portoit pas au mal, qu'il connaissoit parfaitement quand il le faisoit. Il ne considéroit l'État que pour sa vie: mais jamais ministre n'a eu plus d'application à faire croire qu'il en ménageoit[7] l'avenir. Enfin, il faut confesser que tous ses vices ont été de ceux que la grande fortune rend aisément illustres, parce qu'ils ont été de ceux qui ne peuvent avoir pour instruments[8] que de grandes vertus.

PAUL DE GONDI, CARDINAL DE RETZ: *Mémoires*
(Published in 1717, thirty-eight years after the author's death.)

1. What characteristics of Richelieu are revealed in the first passage by (*a*) Philippe de Champagne's portrait; (*b*) further contemporary evidence, i.e. that of Malherbe and of Marie de Médicis?

[1] 'personal appearance.'   [2] 'to that end.'   [3] 'royal state.   [4] 'one needed a mind above the ordinary to ...'   [5] 'than anyone.'   [6] 'the preliminaries.'   [7] 'had a regard for.'   [8] 'which in order to be fulfilled require ...'

2. How does the author enter into the feelings of Richelieu's contemporaries from his own knowledge of human nature?

3. Does he help one to understand Richelieu's power and charm?

4. What characteristics are stressed by Cardinal de Retz? Translate the second half of the third sentence, then state the meaning as clearly and as concisely as you can in your own words.

5. Has he any admiration for Richelieu?

6. What is his own opinion of statesmen?

7. What cynical observations does he make?

8. How does he use general statements to explain Richelieu's character?

9. Which author gives the clearer impression of Richelieu's personality?

10. Do you think Retz aims at giving a clear impression of an individual or at probing human nature in general?

11. Do you think Bailly's style is lucid? Examine his use of particular statement, general statement, quotation and example.

12. Show how Retz's style is more abstract. Why should this be so?

XXVIII

I. FRANÇOIS-AUGUSTE-MARIE MIGNET
Histoire de la Révolution Française

II. LOUIS MADELIN
La Révolution

I

Mirabeau obtint à la tribune le même ascendant que Sieyès[1] dans les comités. C'était un homme qui n'attendait qu'une occasion pour être grand. A Rome, dans les beaux temps de la république, il eût été un des Gracques,[2] sur son déclin, un Catilina,[3] sous la Fronde, un cardinal de Retz;[4] et dans la décrépitude d'une monarchie, où[5] un être tel que lui ne pouvait exercer ses immenses facultés que dans l'agitation, il s'était fait remarquer par la véhémence de ses passions, les coups de l'autorité, une vie passée à commettre des désordres et à en souffrir. A cette prodigieuse activité il fallait de l'emploi; la Révolution lui en donna. Habitué à la lutte contre le despotisme, irrité des mépris d'une noblesse qui, lui reprochant ses écarts,[6] le rejetait de son sein; habile, audacieux, éloquent, Mirabeau sentit que la Révolution serait son œuvre et sa vie. Il répondait aux principaux besoins de son époque. Sa pensée, sa voix, son action étaient celles d'un tribun. Dans les circonstances périlleuses, il avait l'entraînement qui maîtrise une assemblée; dans les discussions difficiles, le trait qui les termine; d'un mot il abaissait[7] les ambitions, faisait taire les inimitiés, déconcertait les rivalités. Ce puissant mortel, à l'aise au milieu des agitations, se livrant tantôt à la fougue,[8] tantôt

---

[1] One of the chief theorists of the revolutionary era.   [2] Members of the Gracchus family were famous tribunes of the people in ancient Rome. [3] Catiline, a Roman conspirator.   [4] Cardinal de Retz was implicated in the civil war called 'la Fronde' during the minority of Louis XIV.   [5] 'when.' [6] 'vagaries.'   [7] 'quelled.'   [8] 'fiery enthusiasm.'

aux familiarités de la force, exerçait dans l'assemblée une sorte de souveraineté. Il obtint bien vite une popularité immense, qu'il conserva jusqu'au bout; et celui qu'[1] évitaient tous les regards lors de son entrée aux États[2] fut, à sa mort, porté au Panthéon au milieu du deuil et de l'Assemblée et de la France. Sans[3] la Révolution, Mirabeau eût manqué sa destinée; car il ne suffit[4] pas d'être grand homme, il faut venir à propos.[5]

FRANÇOIS-AUGUSTE-MARIE MIGNET:
Histoire de la Révolution Française, 1824

II

Un autre transfuge, à gauche, attire l'attention: Honoré-Gabriel de Riquetti de Mirabeau. Affreux, la figure ravagée, mâchée par la petite vérole,[6] le front barré de rides, les épaules fortes et rondes, la taille épaisse, la démarche lourde, mais des yeux de flamme, une bouche frémissante de passion, et le geste terrible, il tirait parti[7] de ce repoussant physique: 'Ma laideur est une force,' dit-il. Son éloquence presque irrésistible en faisait l'orateur le plus renommé de l'Assemblée qu'il domptait parfois, menait, retenait, précipitait pour une heure; son passé presque infâme, des mœurs cyniquement dissolues, une réputation, en partie légitime, de vénalité,[8] le mépris qu'on devinait chez lui pour tous ceux qui l'approchaient, le privaient — la tribune[9] une fois abandonnée — de toute influence durable. Généreux parfois, paresseux, voluptueux, se passionnant à tout, n'approfondissant rien, se faisant préparer des discours qui semblaient jaillir de ses entrailles, comédien que d'ailleurs Lekain et Mlle Clairon[10] avaient formé,

---

[1] n.b. 'que', not 'qui'.   [2] States General.   [3] 'but for.'   [4] Notice the tense. [5] 'at the right moment.'   [6] 'smallpox.'   [7] 'turned to account.'   [8] 'taking bribes.'   [9] 'rostrum.'   [10] Actor and actress of tragedy during Mirabeau's lifetime.

mais avec d'admirables vues d'Etat, le seul grand homme de l'Assemblée, mais qui, dans ce chaos du monde parlementaire en nébuleuse,[1] fut une force inutile ou mauvaise, bientôt brisée d'ailleurs. ...

Il n'était pas ministre et s'en enrageait. Tandis qu'à l'Assemblée où il voulait être populaire, il soutenait les motions parfois les plus démagogiques, il écrivait à la Cour lettre sur lettre, tantôt flattant jusqu'à la reine, 'le seul homme qu'ait le roi', tantôt menaçant avec une extrême audace, clairvoyant d'ailleurs au point de nous stupéfier aujourd'hui, prédisant tout ce qui se va passer si on ne s'oppose à rien. Il voulait le pouvoir. Mais ni le roi ni l'Assemblée ne se résolvaient à se donner[2] ce tyran. Celle-ci brisa finalement ses espérances en votant — contre lui — la motion Lanjuinais qui interdisait à tout député l'entrée du ministère. La Droite vota le décret par haine de Mirabeau: de l'aveu du duc de Levis, ce fut une lourde faute. Mirabeau ressentit cruellement le coup. 'Qu'on vote simplement, dit-il, que M. de Mirabeau sera exclu du ministère.' Exaspéré contre la Droite, il entendit[3] faire payer[4] cher à ces 'stupides' ennemis leur haine aveugle et, sans cesser de s'offrir à la Cour, il redoubla ses coups contre le régime. Talleyrand, écarté avec lui, garda une attitude plus mesurée; mais aigri par ce vote, il se faisait, lui aussi, démagogue. Tous écartés du ministère où — peut-être — ils eussent pu mettre une digue à la Révolution, La Fayette, Mirabeau, Talleyrand, désorientés, précipitaient le mouvement qu'on ne leur pouvait plus donner mission d'arrêter.

Louis Madelin: *La Révolution*, 1911
(Librairie Hachette.)

---

[1] 'nebula.' Use an adjective.   [2] 'place such a tyrant over them.'
[3] 'resolved that ...'   [4] Transitive in French. Object?

1. Analyse Mirabeau's character from (*a*) what each author says about him, (*b*) the attitude of other people towards him, (*c*) Mirabeau's own conduct. What explains his power?

2. Mignet was Permanent Secretary of the 'Académie des Sciences Morales et Politiques'. Louis Madelin's book is one of a series in 'L'Histoire de la France racontée à tous'. Does the aim and outlook of each author influence his style and method of presentation? Consider the description of Mirabeau's personal appearance, the use of direct speech, historical and contemporary allusions.

3. Which author gives the more vivid portrait? Which, in these extracts, takes the broader view of history?

XXIX

HONORÉ DE BALZAC
Eugénie Grandet

— Avez-vous bien passé la nuit, ma chère tante? Et vous, ma cousine?

— Bien, monsieur; mais-vous? dit madame Grandet.

— Moi, parfaitement.

— Vous devez avoir faim, mon cousin, dit Eugénie; mettez-vous à table.

— Mais je ne déjeune jamais avant midi, le moment où je me lève. Cependant, j'ai si mal vécu en route, que je me laisserai faire. D'ailleurs...

Il tira la plus délicieuse montre plate que Bréguet[1] ait faite.

— Tiens, mais il est onze heures, j'ai été matinal.

— Matinal?... dit madame Grandet.

— Oui, mais je voulais ranger mes affaires. Eh bien, je mangerais volontiers quelque chose, un rien, une volaille, un perdreau.

— Sainte Vierge! cria Nanon[2] en entendant ces paroles.

— Un perdreau, se disait Eugénie, qui aurait voulu payer un perdreau de tout son pécule.[3]

— Venez vous asseoir, lui dit sa tante.

Le dandy se laissa aller sur le fauteuil comme une jolie femme qui se pose sur son divan. Eugénie et sa mère prirent des chaises et se mirent près de lui devant le feu.

— Vous vivez toujours ici? leur dit Charles en trouvant la salle encore plus laide au jour qu'elle ne l'était aux lumières.

— Toujours, répondit Eugénie en le regardant, excepté pendant les vendanges. Nous allons alors aider Nanon, et logeons tous à l'abbaye de Noyers.

— Vous ne vous promenez jamais?

[1] Celebrated French watchmaker.   [2] Grandet's servant.   [3] 'savings.'

— Quelquefois le dimanche, après vêpres, quand il fait beau, dit madame Grandet, nous allons sur le pont, ou voir les foins quand on les fauche.

— Avez-vous un théâtre?

— Aller au spectacle! s'écria madame Grandet, voir des comédiens![1] Mais, monsieur, ne savez-vous pas que c'est un péché mortel?

— Tenez, mon cher monsieur, dit Nanon en apportant les œufs, nous vous donnerons les poulets à la coque.

— Oh! des œufs frais, dit Charles, qui, semblable aux gens habitués au luxe, ne pensait déjà plus à son perdreau.

HONORÉ DE BALZAC: *Eugénie Grandet*, 1834

Charles, who has been brought up in Paris, comes to stay with his relatives. Life at Saumur is not what he expected. Show how—through dialogue—Balzac builds up his characters and reveals their way of life.

[1] 'actors.'

I. MADAME DE LA FAYETTE
La Princesse de Clèves

II. GEORGE SAND
Le Marquis de Villemer

I

Le prince de Clèves devint passionnément amoureux de mademoiselle de Chartres, et souhaitoit ardemment de l'épouser; mais il craignoit que l'orgueil de madame de Chartres ne fût blessé de donner sa fille à un homme qui n'étoit pas l'aîné de sa maison. Cependant, cette maison étoit si grande et le comte d'Eu, qui en étoit l'aîné, venoit d'épouser une personne si proche de la maison royale, que c'étoit plutôt la timidité que donne l'amour, que de véritables raisons, qui causoient les craintes de M. de Clèves. Il avoit un grand nombre de rivaux: le chevalier de Guise lui paroissoit le plus redoutable par sa naissance, par son mérite, et par l'éclat que la faveur[1] donnoit à sa maison. Ce prince étoit devenu amoureux de mademoiselle de Chartres le premier jour qu'il l'avoit vue: il s'étoit aperçu de la passion de M. de Clèves, comme M. de Clèves s'étoit aperçu de la sienne. Quoiqu'ils fussent amis, l'éloignement que donnent les mêmes prétentions ne leur avoit pas permis de s'expliquer ensemble; et leur amitié s'étoit refroidie, sans qu'ils eussent eu la force de s'éclaircir. L'aventure qui étoit arrivée à M. de Clèves, d'avoir vu le premier mademoiselle de Chartres, lui paroissoit un heureux présage, et sembloit lui donner quelque avantage sur ses rivaux; mais il prévoyoit de grands obstacles par le duc de Nevers son père. Ce duc avoit d'étroites liaisons avec la duchesse de Valentinois: elle étoit ennemie du vidame,[2] et

---

[1] 'royal avour.' [2] 'vidame': a nobleman who held lands from a bishop.

cette raison étoit suffisante pour empêcher le duc de Nevers de consentir que son fils pensât à sa nièce ...

Le duc de Nevers apprit cet attachement avec chagrin; il crut néanmoins qu'il n'avoit qu'à parler à son fils, pour le faire changer de conduite; mais il fut bien surpris de trouver en lui le dessein formé d'épouser mademoiselle de Chartres. Il blâma ce dessein; il s'emporta et cacha si peu son emportement, que le sujet s'en répandit bientôt à la cour, et alla jusqu'à madame de Chartres. Elle n'avoit pas mis en doute que M. de Nevers ne regardât le mariage de sa fille comme un avantage pour son fils; elle fut bien étonnée que la maison de Clèves et celle de Guises craignissent son alliance, au lieu de la souhaiter. Le dépit qu'elle en eut lui fit penser à trouver un parti pour sa fille qui la mit au-dessus de ceux qui se croyoient au-dessus d'elle.

MADAME DE LA FAYETTE: *La Princesse de Clèves*, 1678

II

Mais il me semble que tout peut et tout doit s'arranger, relativement à votre mariage,[1] selon les désirs de votre famille et selon les vôtres. Puisqu'on dit mademoiselle de Xaintrailles tout à fait digne de vous, pourquoi donc au moment de vous en assurer, prononcez-vous d'avance que cela n'est ni possible ni probable? Voilà où je ne vous comprends plus du tout, et où je doute que vous ayez des motifs sérieux et respectables[2] à me faire accepter.

Caroline parlait avec une décision qui changea tout à coup les dispositions du marquis. Il était au moment de lui ouvrir son cœur à tout risque, il s'y sentait entraîné par une lueur d'espoir; elle la lui ôta, et il devint triste et comme accablé.

[1] The marquis de Villemer is secretly in love with Caroline, his mother's companion. His mother wishes him to marry mademoiselle de Xaintrailles whom he has not yet met. [2] 'worthy of respect.'

— Eh bien! vous voyez, reprit-elle, vous ne trouvez rien à me répondre!

— Vous avez raison, dit-il; je n'avais pas le droit de vous dire que mademoiselle de Xaintrailles me serait à coup sûr indifférente.[1] Je le sais, mais vous ne pouvez être juge des raisons secrètes qui m'en donnent la certitude. Ne parlons plus d'elle. Je tenais à vous bien convaincre de ma liberté d'esprit et du droit de ma conscience à cet égard. Je ne veux pas qu'une pensée comme celle-ci puisse exister en vous: M. de Villemer doit se marier pour de l'argent, de la considération et du crédit! Oh! cela, mon amie, je vous en supplie, ne le croyez jamais. Descendre à ce point dans votre estime serait un châtiment que je n'ai mérité par aucune faute, par aucun tort envers vous ni envers les miens. Je tiens aussi à ce que d'autre part, vous ne me fassiez point de reproche, s'il arrive que je me voie forcé de contrarier les désirs de ma mère dans mon établissement.[2] J'ai cru devoir vous dire tout ce qui me justifie d'une prétendue[3] bizarrerie. Voulez-vous bien maintenant m'absoudre d'avance si j'ai tôt ou tard à déclarer à elle et à mon frère que je peux leur donner mon sang, ma vie, mes dernières ressources, mon honneur même, mais pas ma liberté morale et ma vie intérieure, pas cela! Oh! cela, non, jamais, c'est à moi, et c'est le seul bien que je me réserve, car cela vient de Dieu, et les hommes n'y ont aucun droit.

GEORGE SAND: *Le Marquis de Villemer*, 1861

Madame de La Fayette is writing in the seventeenth century, George Sand in the nineteenth. In both extracts examine carefully the motives guiding each character. How has our conception of the rights of the individual changed? Comment on important aspects of style.

[1] Whose feelings are involved? [2] Here 'marriage'. [3] 'alleged,' 'so-called'